Amours sauvages

Calixthe Beyala

Amours sauvages

ROMAN

Albin Michel

IL A ÉTÉ TIRÉ DE CET OUVRAGE
TRENTE EXEMPLAIRES
SUR VÉLIN BOUFFANT DES PAPETERIES SALZER
DONT VINGT EXEMPLAIRES NUMÉROTÉS DE 1 À 20
ET DIX HORS COMMERCE NUMÉROTÉS DE I À X

.

ISBN broché : 2-226-10818-1
ISBN luxe : 2-226-10891-2

Plus je deviens une femme libre,
plus je suis prisonnière.

Calixthe BEYALA.

Une fois de plus je tente d'assembler ce qui s'est passé. Une fois de plus j'ai des doutes quant à la nécessité d'une telle confession. Il m'arrive de rêver à ces années où j'avais des idées, des certitudes et la foi. Aujourd'hui, toute vérité me suggère son contraire. Toute affirmation est une folie. Toute conviction me semble fanatisme. Les extrémistes me qualifieront de folle et les radicaux de stupide.

A l'époque j'étais comme beaucoup de femmes, certaines le réfutent, d'autres l'avouent : après avoir traînaillé de bras en bras, connu l'amour fou, les abandons aux petits matins, les larmes, je tombais dans des passions en pièces trébuchantes, en clin-clin de monnaies, en froufrous dentelés dans les bars où des chanteuses ratées vous tiennent éveillé de leurs voix éraillées et, quand le crépuscule des rides commença de m'envahir, je crus qu'il était temps de saisir des opportunités.

Dès mon arrivée d'Afrique je passai de désillusion en désillusion et me retrouvai besogneuse chez M. Trente pour Cent, un Français trapu et bedonnant qui raflait trente pour cent sur tout : trente pour cent sur les boissons ; trente pour cent sur les cigarettes ; trente pour cent sur les gains des putes et trente pour cent sur les chambres qu'il louait !

Pléthore était artiste-écrivain. Il fréquentait les prostituées et les maquereaux. « Eux au moins connaissent la vraie vie ! » clamait-il. Il arrivait dès les aurores aux Belles Parisiennes où je travaillais : « Ça va les filles ! » Dans un fatras de gestes et de caresses de sa grosse barbe rousse d'intellectuel, il s'attablait au fond : « Une bière ! » Il buvait, fumait des gitanes et écrivait des poèmes. Nous nous voyions depuis plus de dix ans sans que mes guêpières, ni les seins émouvants de Lolita, ni les bas scandaleux de Gloria éveillent ses exactions couillues. « Tu penses qu'il est normal de là ? » me demandait Jeanne-d'Arc, une spécialiste du sexe au fouet en désignant d'un doigt son entrejambe. Entre les ballets des filles et des clients qui montaient ou descendaient, des désirs latents, des passions fumailleuses, des baisers haut les cœurs, nos joues se gonflaient et nous éclations de rire. « C'est à cause des livres, disais-je. Cet objet te mange un homme ! » De là où j'étais, j'apercevais les cheveux de Pléthore plantés en V au sommet de son crâne rond comme une calebasse, ses petits yeux verts, son menton si avancé qu'il le précédait. Il levait quelquefois la tête de ses feuilles, regardait autour de lui comme hébété et stupide. « Ça va, Ève-Marie ? » questionnait-il.

Je hochais la tête, cassais mon derrière vaste engoncé dans une jupe courte, bombais mon poitrail, me redressais dans mes hautalonnés et m'en allais draguouiller. Quelquefois, il surgissait au milieu de nous, écartait les bras comme au théâtre : « Écoutez ! » Il secouait ses papiers sous notre nez, inspirait profondément, déclamait :

Les cheveux des filles ressemblent aux aurores,
Ceux des femmes, aux printemps,
Ceux des enfants, à l'été,

11

*Curieux que ceux des vieux me donnent
l'impression d'être un dur hiver !*

Puis il s'arrêtait comme une rose perdue : des camionneurs aux blagues crasseuses souriaient niais ; des paysans qui sentaient le chemin de fer et s'encanaillaient à Paris ôtaient leur chapeau et parlaient avec la douceur des idiots ; des cadres attaché-case-costume qui fuyaient les vagins desséchés de leur épouse enfonçaient leur nez dans leur gin-tonic. M. Trente pour Cent essuyait ses verres. Pléthore s'extirpait de ses hallucinations et demandait : « Alors ? » Il quémandait : « Vous aimez ? » Il suppliait : « Dites-moi la vérité ! » Les gens haussaient les épaules : « Pas mal ! » parce qu'ils avaient d'autres chattes à fouetter plutôt que muscler leur cerveau.

Pléthore se tassait sur sa haute taille. Ses yeux verts pailletés d'or viraient au rouge. Puis il s'éloignait le dos voûté, honteux presque, entre les brouhahas des voix qui montaient. Les hommes faisaient des commentaires prétentieusement politiques. Les filles parlaient de mariage, mais aucune d'entre nous ne savait ce que c'était. Je bavassais tout en gardant les yeux rivés sur le stylo de Pléthore qui glissait sur le papier, à moitié hypnotisée, étrangement réconfortée. « C'est un grand écrivain maudit ! » me disais-je, parce que l'expression me séduisait et j'y associais des sans-logis et des traînées. « Un grand artiste méconnu », me répétais-je, parce qu'il était le défenseur de tout ce que la société prenait en dégoût. « Au boulot les filles ! » criait M. Trente pour Cent.

Nous abandonnions nos chichis de rêves, nos mélancolies et tournoyions autour des hommes. Je vendais mon immense derrière de négresse à prix modérés et on m'appela « Mademoiselle Bonne Surprise ». Quand il n'y avait pas de clients, je déambulais le long des rues du faubourg Saint-Honoré aux magasins si imposants de luxe que je n'imaginais pas comment on pouvait y faire ses courses. Les autres femmes ne semblaient pas partager mon avis. Des vendeuses habillées comme des hôtesses de l'air leur ouvraient les portes. Elles y pénétraient comme chez elles. Mes sourcils se fronçaient et je me remémorais mon village d'Afrique environné de grandes collines derrière lesquelles le soleil disparaissait ; je voyais ses montagnes sombres hérissées de bananiers, et ses manguiers à gros fruits rouges. Des milliers de singes voleurs sautaient de branche en branche et hurlaient. Des herbes folles flottaient sur la rivière qui traversait notre cité et y naviguaient des vieilles casseroles en étain, des morceaux de tissus en wax et des nappes d'huile qui provenaient des raffineries lointaines. Ces objets m'enfonçaient dans des rêves lumineux et je quittais mon pays, parce que Dieu s'était montré plus généreux en Europe. Je fredonnais de mélancoliques chansons et les gens bien habillés que je croisais me rendaient des regards froids comme du verre. Je me promenais au parc Monceau où on décorait les arbres de Noël alors que les feuilles d'automne n'avaient pas terminé leur chute. J'émergeais de mes souvenirs et apercevais des nounous qui poussaient des landaus d'où s'épanouissaient comme des orchidées des têtes de bébé sur des oreillers volantés. Les murs en pierre de taille étaient lisses et les fenêtres balconnées de fleurs. Même les pigeons étaient gras et en sécurité. J'étais ridicule dans ma robe jersey et mes bas

14

en accordéon. Je posais mes pieds à plat sur le bitume : « Un jour », me disais-je... Je ravalais ma rage.

A petits pas je retournais à Belleville où les rues étaient sales, étroites et laides. L'odeur des marrons et du maïs grillés que vendaient des nègres envahissait l'air. J'étais heureuse de rencontrer ces gens qui me connaissaient. « Ça va, Ève-Marie ? » me demandaient-ils. Des larmes de reconnaissance gonflaient mes paupières. J'entendais des grillons chanter dans les réverbères et des battements d'ailes de pique-mil qui crottaient impoliment. Plus tard Pléthore me précisa que la pollution avait assassiné tous les grillons, et que c'était le chuintement d'eau des égouts.

M. Michel Dellacqua, l'épicier français à grosse respiration, m'interpellait : « Tu veux une pomme, Bonne Surprise ? » Il roulait des yeux, grimaçait des chianchiants. Il avait le portefeuille vide et croyait me séduire avec une pomme comme le serpent de l'Éden. Il détestait les nègres, les Arabes et les juifs. Je symbolisais avec mes énormes seins coussineux, ma peau minuit et mes cheveux casquetteux, l'exception qui confirme la règle. J'attrapais ma pomme tandis que M. Dellacqua prenait son accent très raffiné et s'extasiait : « Moi, ce que j'aime par-dessus tout, c'est une grosse paire de fesses ! » Et sa figure ronde se métamorphosait : « Vas-tu m'aimer un jour ? » Je frappais mes paumes : « Et Rosa, ta femme, mon ami ? » Il haussait les épaules et ses joues se flasquettaient : « C'est pas pareil, ma chère ! » Je m'enfuyais comme une collégienne.

On était dimanche, ce jour-là. Le soleil luisait et des vieilles personnes s'acheminaient vers l'église. Elles passaient à côté de moi, semblables à des bidons tristes et rouillés. Les rues puaient le couscous au mouton que faisaient cuire des Arabes et les poubelles renversées sur le trottoir. C'était une matinée vaseuse avec des envies de croissant. Je m'en achetai et revenais sur mes pas lorsqu'un clochard se mit à me pourchasser. Je lui lançai un caillou et lui fis avaler sa violence.

J'essuyai mes pieds sur le paillasson et entrai aux Belles Parisiennes. Pléthore était assis et écrivait. A son front soucieux, je compris qu'il romançait des répugnances et donnait des fraîcheurs aux latrines. Je m'assis à ses côtés, mais il ne me vit pas. Dans la salle, Mlle Quinou, une maigrichonne qui croyait ressembler à la reine d'Angleterre, œuvrait en délicatesse agressive : « C'est dimanche aujourd'hui ! Double tarif, messieurs ! »

– Tu seras bientôt célèbre ? lui demandai-je, mais je fus si surprise de mon audace que je me mis à fredonner.

Ensuite je racontai mes malheurs à mon croissant, mes journées gagne-petit, mes rêves d'une « vraie vie normale », mes envies de campagne avec des ruisseaux, des saules pleureurs et des vaches miauleuses.

– Écoute ça, me dit soudain Pléthore.

La feuille dans ses mains tremblait, ses yeux papillotaient comme un aventurier de la jungle qui vient d'apercevoir de grosses fleurs exotiques, des éléphants rose bonbon et d'énormes feuilles de caramboda sous un soleil radieux.

Dans leur désert de rire tranquille,
Ils préparent des vastes chantiers

17

Amours sauvages

> *où l'amour sera cloporte*
> *les larmes quotidiennes*
> *   et où*
> *l'enchantement disparaîtra.*

Dès qu'il eut terminé, les veines de son cou gonflèrent ; ses mains se crispèrent sur son poème ; ses mâchoires se contractèrent et je crus qu'elles explosaient. Il se mit à crier et ses yeux sortaient de son crâne : « C'est nul ! Mille fois nul ! » Puis, en tempête brusque il déferla sur les clients et fit s'envoler leurs chapeaux : « Lâches ! Couillons ! Saperlipopettes de mes couilles ! » Ses cheveux raides se dressèrent sur sa tête tels des pins : « Molustrom de mollusque ! » Il engueula la société de consommation qui rendait les humains si mous qu'ils en perdaient des dignités et des fraternités. Il en voulut au soleil égoïste qui n'illuminait pas la ville, à la voirie municipale qui nettoyait la cité du bout des doigts, au diable et à Dieu qui n'existaient pas. « Je m'en vais faire des révolutions ! » hurla-t-il.

M. Trente pour Cent cessa d'essuyer ses verres, sortit d'une boîte en argent un bonbon, le

broya violemment sans quitter des yeux Pléthore. Quand cela lui parut suffisant, il parla
d'un ton posé comme un homme politique lit
son discours :

– Que les choses soient dites noir sur blanc
entre nous, Pléthore ! Voilà dix ans que tu viens
mettre le bordel dans ma maison à cause de
tes poèmes. Je t'ai toujours traité comme un
gentilhomme. Mais maintenant ça va trop loin.
Si t'as l'intention de continuer, je veux que tu
sortes et que tu ne remettes plus tes guêtres par
ici. Est-ce clair ?

Pléthore s'arrêta comme si des épouvantes
se dressaient devant ses yeux. L'instant d'après,
il sanglotait lentement : « J'ai lu trop de
livres. » Des larmes dégoulinaient de ses yeux
et il en devint si morveux que je crus qu'il était
bordélisé de l'esprit. Il retourna à sa place, fit
claquer son briquet et l'approcha de la feuille.
Elle s'enflamma et se consuma dans un délice
de damnation. Il me regarda de nouveau et je
crus voir une forme éthérée.

– J'ai lu trop de livres, je ne peux plus écrire.
Veux-tu m'épouser, Ève-Marie ?

Un hoquet me secoua et je lâchai des gaz

comme si je venais d'avaler un poison. Mes tripes se tordirent, sans doute ma bouche aussi.

— Tu te fous de moi ? demandai-je devant ce cauchemar.

Je posai mes mains en guerrière sur mes hanches, parce que les palmes des martyrs je n'en voulais pas. Bien sûr que je rêvais des forêts amoureuses, des savanes aux cœurs fauves, des tentures pleines d'éminences, mais cette hypocrisie amère, cette moquerie âpre, non ! J'attrapai son blouson qui sentait le vieillot et l'insultai : « Salopard ! Fils de rien ! »

Immédiatement les gens nous environnèrent, couicouinant et grondant des « Qu'est-ce qui se passe ? » et des « On peut même plus s'envoyer à la lune tranquillement ! ». Ils remuèrent comme des Peaux-Rouges autour d'un poteau, impatients et sans pitié, prêts à scalper. Je leur expliquai mon malheur. « Il ose me demander en mariage ! » hurlai-je. Ma voix rauque viciait l'air. Les gens me plaignirent : « Pauvre Bonne Surprise ! Oser te faire ça ! » Ma poitrine se gonflait de fierté à entendre ces hommes qui geignaient sur mon sort. Ils se tournèrent vers Pléthore : « T'as fumé le chan-

vre ou comment ? » Ils tirèrent leurs langues :
« T'as pas honte de blaguer ainsi une femme ! »
Pléthore baissa la tête, grêle, épileptique presque, grelottant du grelottement des crapauds-
brousse.

Puis ils s'en retournèrent à leur place, les
yeux cerclés de vert, à clapoter l'événement, à
le tambouriner en rumeur triste, à le faner
comme les chancres des vieux murs.

– Je veux épouser Ève-Marie ! cria soudain
Pléthore.

Les hommes hochèrent la tête et leurs rires
éclatèrent en fragments, on eût cru des milliers
de criquets : « Il est fou ! » M. Trente pour
Cent essuya un verre et caqueta sa charité crasseuse : « On peut pas comme ça jeter un ami
à la rue ! Il est chez lui aux Belles Parisiennes ! »
Les filles rajustèrent leurs guêpières, blêmes :
« Il bande pas, alors ! »

Pléthore me saisit le poignet : « Je t'épouse,
Ève-Marie ! » Il m'entraîna à sa suite dans un
tohu-bohu triomphant : « Je t'épouse, Ève-
Marie. Au nom du père ! » Nous traversâmes
le bar sous le regard ébahi des haleurs : « Je
t'épouse, Ève-Marie ! » Dès que nous commen-

çâmes de grimper les escaliers M. Trente pour Cent dit : « C'est trente pour cent ! » Mais ça, ça allait de soi !

Dans la minuscule chambre rose où j'œuvrais, je découvris avec Pléthore des délires rythmés et lents, des clapotements furieux de marées, des rutilements de mers, des azurs jaunes et bleus, des « Je t'épouse, Ève-Marie ! ». Noyés, nous murmurâmes l'aveu des oriflammes, « Je t'aime ! ». Nous nous enfantâmes ce dimanche-là, tandis que les sorciers du plaisir allumaient des braises dans la terre et nous expliquaient des secrets que nous ignorions.

Quand nous descendîmes, la putasserie réunie au bas de l'escalier nous attendait. « Alors ? » couicouina-t-elle. Je promenai un regard ensoleillé sur la foule, fis un rond de l'index et du pouce. « On s'en doutait, dit Mlle Quinou. Les livres ont vernissé tout ! » Je portai une main sur ma poitrine, feignis une forte émotion et poussai un cri langoureux semblable à un petit duc : « C'est bon, mes amis ! On se marie ! » Des vivats explosèrent ! Des chapeaux volèrent. Il y eut des hourras à faire frémir la terre. « Je mettrai un trois-quarts melon de chez Dior », criait Mlle Quinou. M. Michel, dépêché sur place, me tendit une pomme : « On sait jamais ! » M. Trente pour Cent ne cessait de dire : « C'est convivial chez moi, n'est-ce pas ? On y trouve même chaussure à son pied ! » Quant à moi, ce fut classiquement le plus beau jour de ma vie, d'autant que Pléthore m'offrit une chevalière ornée de chantournes prétentieuses. Devant le maire, je fus environnée de cancans, de nostalgies, de calvities, de farandoles de jupons, de rires et d'applaudissements : « Vive la mariée ! » J'avais plus de quarante ans et j'étais percluse de bonheur. J'effaçais des dizaines d'années passées à rêvasser de l'amour fou, parce que Pléthore était là, à portée de main, souriant en dessous de sa raie d'où partaient des cheveux brillantinés et gominés.

Nous allâmes faire une photo, celle qui est posée sur ce guéridon : on nous voit assis dans des fauteuils rembourrés et ocre. Des tentures rouges et candélabres donnent à l'ensemble une ambiance de luxe d'opérette. J'y porte une robe à grosses fleurs et Pléthore un costume noir. Le président de la République française me serre la main et m'offre un immense bouquet de roses. C'est une image splendide.

Je l'ai envoyée au pays parce que je ne voulais pas qu'on sache dans quelle misère je vivais. D'ailleurs personne ne soupçonna jamais que la photo avait été faite chez M. Sallam, spécialiste en trucage.

Six mois après notre mariage, Maman arriva du Cameroun un dimanche matin, gare d'Austerlitz. Elle avait traversé le Mali *via* le Niger et le Nigeria, puis le Maroc en camion-citerne et l'Espagne, cachée sous des bâches. J'imaginais sa fatigue, mais la gare elle-même était si moche et fatiguée que les clochards l'avaient désertée. Le soleil était froid et Pléthore sautillait à mes côtés comme un chiot. Un train disparaissait, l'autre apparaissait, vomissant des immigrés espagnols, quelques sans-papiers noirs, des Arabes venus faire des salamalecs en France pour trois baguettes de pain. Je détestais cette gare parce que la France des libertés et des égalités avait décidé d'oublier ce fragment de son corps, comme si ces chemins ferraillés ne conduisaient pas à quelque province où l'on pouvait manger gras et des canards confits, mais à des tropiques infestés de serpents-boas, de lianes cannibales et de rivières à mami-water.

J'étais pressée de montrer à Maman l'éten-due de ma réussite, parce que je n'étais plus Mlle Bonne Surprise, mais Mme Ève-Marie Gerbaud. En outre, je faisais des ménages, sur-tout chez le docteur Sans Souci d'Avenir, gyné-cologue de son état.

Le train qui amena Maman entra en sifflo-tant et j'eus du mal à la reconnaître. Ses che-veux s'étaient cotonnés et son dos voûté. De son vivant, papa lui avait cassé les trois dents de devant. Il était mort et Maman n'avait plus aucune dent dans la bouche. Je la serrai contre moi en pleurant, tant j'étais émue.

— Je suis heureux de faire votre connaissance, s'écria Pléthore d'une voix qui couvrait le vacarme aégaré.

— J'ai failli tomber sur le sol qui marche tout seul, dit Maman en guise de bienvenue. Je ne veux plus marcher sur le sol qui roule tout seul !

Pléthore ramassa la vieille valise de Maman. Je recouvris ses minuscules épaules d'un vieux manteau de phoque. Elle trottinait à petits pas à mes côtés, toute ratatinée : « Sais-tu que Luchia, la fille du chef, est enceinte ? » Un soleil mauve éclairait le ciel et je dis à Maman que c'était scandaleux puisqu'elle attendait de moi ce type de commentaire. Nous prîmes le bus, puis le métro et Pléthore porta Maman parce qu'elle avait peur des tapis roulants – *ho-hissse !* « Ne me laisse pas tomber », avertissait-elle, et ses petits pieds flottaient dans le vide et ses yeux ronds exprimaient sa peur. Nous fîmes exprès de faire un détour par les beaux quartiers. « C'est magnifique ! » cria-t-elle à la vue de l'Arc de triomphe et des Champs-Élysées. « C'est qu'un début ! » me dis-je intérieurement. Mais, quand nous débarquâmes à Belleville, elle s'arrêta et ses traits se désharmonisèrent : son nez se fronça ; son front se cribla de fléau et ses lèvres déchargèrent un son atroce :

– Nous sommes encore à Paris ?

J'acquiesçai et Pléthore sourit dans sa barbe. Maman s'enferma dans le silence et je me rendis compte que j'avais oublié combien elle était petite. Nous prîmes le boulevard de Belleville, puis la rue Bisson, avec ses fenêtres emmurées, ses façades effondrées ou recouvertes d'une mousse verte. Nous bifurquâmes dans un cul-de-sac et arrivâmes dans la cour de notre immeuble. Maman poussa un soupir sans que je susse pourquoi.

M. Félix Éboué, le prédicateur sans prêche, venu spécialement d'Afrique parce qu'il considérait que Paris était la ville la plus perverse du monde, se tenait debout sur une vieille casserole et prêchait. Le vent ventousait sa soutane. Son crâne dégarni luisait dans le brouillard : « Hommes et femmes de Belleville, n'oubliez jamais que vous vivez dans la capitale des filles aux ongles acérés et démoniaques ! N'oubliez pas que vous cheminez dans l'ombre d'un peuple catholique mais buveur de vin et accoucheur de Voltaire, de Racine, de Rimbaud, des impies aux sourires de vampire ! Priez le Seigneur qu'il vous pardonne ! »

Le vieux Pégase, disséqueur de cadavres, ouvrit brusquement sa fenêtre, secoua son scalpel : « On t'a pas dit que Dieu est mort ? » Ses cheveux s'emmêlaient sur sa tête comme des lianes. Mlle Les Trois Glorieuses, une actrice qui servait de la bière en attendant Hollywood, allongea son cou : « Je suis vivante, moi, bon Dieu de merde ! J'ai besoin de dormir pour mon teint lisse, couillon ! » Seule Mme Flora-Flore, ma voisine du troisième, une brune à frange aussi longue qu'une asperge et qui ne pouvait pas vivre sans les coups de son type, écoutait attentivement, ses mains blanches soutenant ses joues. La silhouette de son mari se profila dans son dos. Elle prit un air effrayé et s'enfuit vers la cuisine.

Nous montâmes les six étages. Les escaliers brinquebalaient, crasseux. Des papiers jonchaient le sol. Des morceaux de plâtre s'étalaient en pétales de rose. Maman faisait escale à chaque étage : « Tu habites vraiment près du Seigneur ! » Puis elle sautait du coq à l'âne : « Sais-tu que la fille d'Ayissi est morte ? » Je lui expliquai que les loyers étaient chers à Paris. « Les récoltes l'année dernière ont été vraiment mauvaises à cause de la pluie qui ne tombait pas ! » répondit-elle.

J'écoutais ses commentaires et les laissais se noircir au loin comme du bronze au soleil. L'orgueil puéril me tenait les tripes. J'imaginais son visage s'illuminant devant un chœur d'assiettes, une foule de porcelaine de Limoges et une télévision au luxe oisif. Et ce crime s'énonçait dans mon esprit avec clarté, aussi simple qu'une note musicale.

Je poussai la porte d'un grand geste et Maman frissonna dans sa fourrure. Pléthore me fit un clin d'œil aux influences chaleureuses. Elle traversa le salon à petits pas, caressa les fauteuils rouges Louis XVI de chez Conforama, enfonça profondément ses pieds dans la moquette à pois jaune. « Elle est jolie, ta maison, ma fille ! » dit-elle comme dans un drame. Elle s'arrêta devant les étagères croulant de livres, secoua son crâne sans un mot et, lorsqu'elle eut achevé le tour du propriétaire, elle sortit sur le balcon grinçant, contempla la vaste immensité parisienne. Je la suivis. Des voitures passaient en vrombissant. Les motos pétaradaient et un nuage brumeux enveloppait les immeubles, les privant d'aura et de substance.

– On dirait qu'ils vont fondre et disparaître, constata-t-elle.

Elle envoya un long crachat qui faillit atterrir sur le nez de Mme Flora-Flore qui regardait chez moi. « Excuse-moi », cria Maman. Puis elle se tourna vers moi, secoua ses mains minuscules telles des pattes de chaton.

– C'est tout ? me demanda-t-elle.

Pendant qu'ailleurs on gaspillait les fonds publics en fraternité bien ordonnée, que des dictateurs ordonnançaient la vie en or, les impressions de Maman se dressaient sous mon nez en odeurs de bois moisi, en ombres tyranniques et en quelques dégoûts. Je pénétrai dans la maison, enveloppée d'une poudre noire. Pléthore déclamait Baudelaire avec un accent parisien à couper au couteau. Hier, j'avais eu droit à Rimbaud : « Les roses des roseaux dès longtemps dévorés... » Souvent, à une phrase dont il goûtait le plaisir, il posait le livre sur ses genoux, fermait ses paupières : « Magnifique ! Magnifique ! Magnifique ! » Quelquefois il ouvrait les fenêtres et gueulait après les voyous. J'attribuais ces engueulades à sa rude masculinité et j'en étais fière.

Je traversai le salon, si furieuse que la tête de buffle suspendue au mur sembla claquer des dents. Pléthore sursauta et le livre tomba de ses mains. Il posa sur moi des yeux tristes.

– Ça ne va pas ? dit-il.

Je le fixai sans rien dire, imposante comme une montagne. Depuis mon mariage, et parce qu'il ne cessait de répéter : « J'aime pas les squelettes », je mangeais et je grossissais. Qu'il répétât encore : « J'aime pas les sacs d'os ! », et je mangeais et m'arrondissais encore. Qu'il répétât toujours : « J'aime comme tu es. Je t'aime ! », je m'habillais chez les grosses dans des jerseys aux arabesques langoureuses et fantasques.

Sans rien répondre, j'allai à la cuisine et fis cuire des côtelettes d'agneau accompagnées de tomates hollandaises pour le déjeuner. Je savais qu'elles étaient hollandaises parce qu'elles étaient énormes et n'avaient pas de jus. De là où j'étais, j'entendis Maman demander à Pléthore ce qu'il faisait dans la vie. Pléthore marmonna quelque chose et Maman s'écria :

– C'est pas un métier, ça ! Chez nous, il y a des conteurs, mais c'est gratuit !

– Très chère madame, répondit Pléthore, l'humanité a quelquefois besoin qu'on lui dise ses vérités en vers, en poésie et en lyrisme. Ma

32

poésie est véridique. Elle changera la face de l'humanité.

Des larmes me montèrent aux yeux et je mis l'eau à bouillir pour des pâtes parce que je voulais que Maman mange de la nourriture des blancs. Dans le jardin de Belleville, une fille noire engoncée dans un immense manteau faisait des guili-guili à un bébé qui geignait. Des enfants haillonnés jouaient. Un vieillard se promenait, appuyé sur sa canne.

Maman apparut dans mon dos et je me sentis encore plus mal : « Je peux avoir un thé ? » me demanda-t-elle. Derrière son épaule, Pléthore me fit un signe du pouce qui semblait dire qu'il l'avait séduite, puis repartit dans ses livres.

— Tu veux savoir ce que c'est, ton mari ? croassa-t-elle. Je me demande comment tu fais pour vivre dans une telle illusion.

— Les gens préfèrent vivre dans un monde fait comme ça, dis-je. Ne me demande pas pourquoi.

Elle se laissa tomber sur une chaise, noua ses mains autour de ses genoux. Je lui servis son thé avec des croissants qui ne semblèrent pas l'impressionner. J'enfilai mon manteau, regardai ma montre. « Où vas-tu ? » questionnat-elle d'une voix pâteuse.

– Travailler.

Son regard vide erra vers quelques lointaines sagesses :

– J'aurai tout vu ! Ce pays des blancs fait voir des miracles !

Je quittai la maison en demandant à Pléthore de s'occuper de Maman. Mme Flora-Flore était dans la cour à regarder vers chez nous, mais je n'avais pas de temps à lui consacrer. J'avais des griefs à brandir : contre Maman qui avait eu l'outrecuidance de ne pas s'apercevoir que mes relations avec l'univers étaient convenables ; contre Pléthore qui n'avait pas su prendre l'habit des faux élus et raconter à Maman qu'il était magasinier, ou ingénieur, ou chef de chantier, que sais-je encore ? Dans la rue je pris des résolutions, et je fus heureuse. J'allais gagner de l'or à la brouette, des diamants en seau pour faire descendre Maman de ses violettes frondaisons d'où elle me regardait.

34

Le soleil souriait comme une édentée. Des nuages passaient avec leurs hordes de fantômes et l'âme des enfants morts loin des fonts baptismaux gémissait dans le vent. Des voitures poubelles grisaillaient. Des nègres spécialisés dans le nettoyage de la France ramassaient ce qu'il y avait à ramasser, le visage renfrogné. Des témoins de Jéhovah prédisaient la bonne parole. Un homme jouait de l'accordéon et deux jeunes filles dansaient frénétiquement. Je m'approchais quand la jeune noire que j'avais aperçue depuis ma fenêtre se précipita sur moi.

— Avec votre bonne grâce, me dit-elle, donnez un sou à cette créature.

Elle secoua sous mon nez le bébé enveloppé dans un baluchon.

— Tenez, dis-je en lui donnant une pièce.

— Dieu vous le rende, me dit-elle. Je m'appelle Maya. Je viens du Sénégal.

Elle me suivit et son visage avait une saveur amère. Quatre tresses étaient dressées en pic au sommet de son crâne. Elle se mordait de temps à autre les lèvres. Les ailes de son nez plat palpitaient. Ses yeux rusés brillaient, agressifs. Elle se mit à me raconter ses misères.

35

– Il m'a fait venir de mon pays. Dès qu'il a eu ce qu'il voulait, il m'a jetée dans la rue avec mon fils.

Je n'étais pas disposée à me laisser berner. Tout en marchant je l'écoutais avec méfiance, d'autant qu'elle ne cessait de me répéter : « C'est vrai, ce que je vous dis, vous savez ! », qu'elle embrassait sans cesse son bébé et répétait : « Que dois-je en faire ? Abandonner le pauvre petit ? »

– Courage, courage, lui dis-je au moment de la quitter et de monter chez le gynécologue.

Deux larmes perlèrent de ses yeux. Je m'arrêtai et levai la tête. Je vis de dos le docteur Sans Souci. Sa blouse était crasseuse parce qu'il pratiquait des interventions à des prix défiant toute concurrence : cinquante francs en numéraire, pour les consultations ; deux cents francs, pour extraction de fibrome ; cent francs l'arrachage dentaire, sans compter les avortements à six mois d'aménorrhée, en toute bonne conscience. « Je ne crois pas en Dieu, avait-il coutume de dire. Sauf quand je suis ivre ! » Mais il ne l'était jamais et je l'aimais bien. De là où j'étais, j'aperçus les bocaux où marinaient des fœtus, des serpents et des araignées. Ses scalpels luisaient dans le soleil et des clientes attendaient dans le vestibule. Je n'étais pas pressée d'entendre les jérémiades de Solange, son épouse. Elle s'asseyait sur la table de la cuisine et exhibait ses longues jambes. Elle me regardait frotter à quatre pattes : « Prends, donne, fais » m'ordonnait-elle. Quelquefois elle se croyait à Jérusalem et je devenais son mur des Lamentations. Elle gémissait : « Quelle chienne de vie ! » Puis elle se plaignait parce que son mari aimait les chats : « Tu parles d'une maison avec tous ces animaux et ces fœtus à chaque recoin ! » Pas plus tard qu'hier elle m'avait traitée de « grosse pouffiasse ! » parce que j'avais entouré le manche du balai avec son écharpe en pure laine d'Écosse pour nettoyer le sol.

Soudain une illumination me monta au cerveau, explosa mes nerfs et je flairai la fatalité de Maya, perdue seule dans la ville.

– Dieu est partout, lui dis-je. Aucune feuille ne bouge sans sa bonne volonté. Viens avec moi !

Je l'entraînai et son visage rayonna d'espoir. L'humidité suintait des pierres et des gens se bousculaient sur les trottoirs. J'avais des ailes parce que je n'abandonnais pas cette inconnue à des tombeaux prématurés. Je ne pouvais laisser les peines de cette pauvre âme s'accroître par mon indifférence. Mon bonheur établi chantait des Marseillaises. Pendant que nous marchions, je lui expliquai que moi aussi j'avais connu ces jours où l'on ignorait où dormir, quoi manger demain. J'étais portée par une lumière intérieure. Je construisais autour de sa vie future des engagements et des remparts de cajoleries. C'était une créature rejetée et j'étais sa seule protection.

Il y avait foule au café des Belles Parisiennes. Des gens s'agglutinaient partout et des odeurs de vin, de transpiration, de tajines s'échappaient par grosses bouffées de leurs aisselles. Un magnétophone jouait un fox-trot. Des paysans aux visages stupides ou lubriques lutinaient ; des hommes mariés lançaient des obscénités. Les filles dansaient, sautaient en l'air et riaient comme des fantômes. Dès qu'elles me virent, elles se précipitèrent sur moi :

— Tu as perdu ton mari ? me demandèrent-elles.

— Tant mieux, cria quelqu'un. Elle a de ces hanches !

Un camionneur qui sentait l'ail me prit par la taille pour m'obliger à danser. Il fit un tour sur lui-même et me transporta dans les airs de ses phalanges poisseuses.

— Assez ! criai-je.

Je lui donnai un coup de pied et il perdit l'équilibre. La voix raisonnable des filles s'éleva. « C'est pas des manières, ça, de traiter la clientèle ! » cria Mlle Quinou. « Tu te prends pour qui à la fin ? » me demanda Lolita. On voyait à leurs mines qu'elles me détestaient, qu'elles me jalousaient, parce qu'avec mon bonheur rangé de femme mariée je pouvais prétendre à un enterrement décent.

— Ça suffit ! hurla M. Trente pour Cent. C'est pas des façons d'accueillir une vieille amie !

Déjà il m'embrassait, s'extasiait sur ma bonne figure, mon sang frais. Ses yeux intéressés agrippèrent Maya et son bébé.

— Qui est-ce ?

— Elle a besoin d'aide, soufflai-je.

Je l'entraînai loin des oreilles indiscrètes et

lui expliquai qu'elle pourrait rester ici, bossailler dans les spermes clapotants, répandre des boissons et des faux parfums, pour ses plus extraordinaires profits : « Certain qu'elle va te rapporter pendant au moins trois ans ! » Trente pour Cent était sceptique et sa blême figure lunaire se crispa :

— Je ne veux pas de bébé chez moi. Il va déranger la clientèle ! Et j'en connais, moi, des filles comme ça, qui arrivent et font les difficiles !

— A ta guise ! dis-je.

Nous nous retournâmes et M. Trente pour Cent fit « Ho ! Ho ! » Je crus avaler des litres de miel : Maya avait échancré son corsage bas sur sa poitrine, souriait, souriait, fanfaronne. Ses yeux brillants, ses lèvres mouillées invitaient les clients qui buvaient et dansaient.

— Dix pour cent pour moi, dis-je.

M. Trente pour Cent me serra la main, scellant une collaboration d'insouciance fructueuse et de charité intéressée tandis que des sensualités marchandées déployaient leurs longs tentacules et broyaient l'humanité.

L'après-midi était avancé quand j'arrivai chez le docteur Sans Souci. Mme Solange son épouse était sortie et des femmes s'échelonnaient partout ; des engrossées précaires pleuraient : « Je m'en suis aperçue trop tard. Oh, Dieu, s'il refuse de m'en débarrasser, que vais-je faire ? » Des femmes aussi stériles qu'un arbre à pain appuyaient des deux mains sur leurs ovaires : « C'est bouché. Après un coup de pompe aspirante dans les trompes... » Elles se souriaient et se faisaient des clins d'œil. Seules les fibromeuses se taisaient, concentrées sur leurs utérus ensanglantés. Je me jetai avec mon aspirateur vrombissant comme un orage entre les jambes couenneuses des patientes : « Pardon, madame ! » J'entendais le docteur Sans Souci hurler à tue-tête pour se faire comprendre.

Je terminai ce qu'il y avait à dépoussiérer et m'attelai à la cuisine. J'ouvris le four et poussai un cri. « Qu'est-ce qui se passe ? » demanda le docteur en se précipitant. Je détournai la tête vers la fenêtre. « Là, là, là ! » dis-je en montrant le four. Quelques instants plus tard il était assis sur une chaise dans la cuisine, son chat rôti sur ses genoux, et gémissait : « Mon Dieu, mon Dieu ! » Des larmes dégoulinaient de ses yeux, les rendaient globuleux. Il essuya d'un revers sa morve, caressa son chat mort.

– Pourquoi ? Pourquoi m'a-t-elle fait ça ? Ça ne lui suffisait pas de me tromper ignoblement ? Ne suis-je pas un bon mari ? Ne me suis-je pas sacrifié pour qu'elle ait une vie décente ? Qu'est-ce qu'il a de plus que moi, son connard d'amant, hein ?

– J'en sais rien, dis-je.

Il se leva brusquement, hagard, comme un possédé.

– Je vais la tuer ! menaça-t-il. Je vais l'étrangler.

– Non seulement vous serez cocu, mais vos cornes seront saignantes, lui lançai-je, frissonnante.

Il s'arrêta net, fit demi-tour, alla vers la fenêtre.

– Je suis déshonoré, dit-il. Cocu ! Et comme si cela ne lui suffisait pas, il a fallu en plus qu'elle rôtisse mon chat adoré.

Je lui préparai un café avec une touche de

cognac et griffonnai sur un bout de papier l'adresse des Belles Parisiennes.

— Faut savoir transformer ses cornes en auréole de gloire, lui dis-je. Allez baiser les putes et vous vous sentirez mieux !

J'abandonnai le docteur Sans Souci avec son chat rôti et ses cornes. Dans la rue, je marchais en poussant du pied des feuilles mortes. Je sentis une odeur de poulet grillé et l'air chaud souleva ma jupe sur la grille d'un métro. Des hommes applaudirent, mais ils avaient tous des dents pourries et d'horribles figures sous leurs cheveux.

Devant l'immeuble, Mme Flora-Flore était toujours à regarder chez moi, comme si elle y avait oublié son caleçon. Dès qu'elle me vit, elle s'enfuit. J'essuyai mes pieds sur le paillasson et montai.

Pléthore avait installé la table. Nous nous attablâmes devant un rôti de porc que Maman mangea du bout des lèvres. « La nourriture des blancs... », ne cessait-elle de dire. Je débarrassai, fis la vaisselle. Je l'installai dans sa chambre et lui apportai un verre de lait chaud. Son petit corps était tordu sous la courtepointe en nidd'abeilles. Je l'embrassai et éteignis, lorsqu'elle dit :

— La femme qui se fait toute seule est d'une construction fragile. Ce que t'es en train de vouloir bâtir, il faut quatre générations de femmes pour l'obtenir.

Pléthore m'attendait dans notre chambre, debout auprès de la lampe de chevet qui jetait des lueurs sur notre photo de mariage. Ses jambes étaient écartées. Ses lèvres rouges et minces palpitaient dans ses moustaches. Je compris qu'il avait des colères à sortir, je ne me trompais pas.

— Elle est vraiment ingrate, ta mère, après tout ce qu'on a fait pour elle !

La nuit était claire, sans vent, la lune au zénith et, sur les pentes du ciel, les étoiles scintillaient. Un chien aboya. J'entendis les hurlements d'un homme et Mme Flora-Flore pleurait : « Je ne recommencerai plus ! » J'enfilai une chemise de nuit, retournai notre photo contre le mur et ouvris le lit.

Dieu a déserté les jardins parisiens. Des rosiers y poussent en force. Les marguerites s'y contractent et s'y épanouissent comme un tango. Des chrysanthèmes paillettent les regards de leurs cœurs roses ou jaunes, à telle enseigne que les humains perdent la tête et croient que la nature a été ordonnancée par le hasard : des nounous aux doigts boudinés laissent pleurer les bébés et bavardent entre elles ; des vieillards draguouillent des nénettes et s'abandonnent à l'illusion de l'éternelle jeunesse ; des enfants à manteaux trop grands s'insultent et se lancent des cailloux. Dans ce charivari de cris, de murmures et d'odeurs, quelques jeunes filles désespérées et éparpillées en essaim sur des bancs attendent l'archange Gabriel.

Parce que les choses avaient tourné rond avec Maya, je décidai de rabattre les filles pour M. Trente pour Cent et d'en tirer profit. Je m'amenais, au jardin de Belleville, grosse et maternelle, dans mon immense kaba à fleurs et à oiseaux. Le vent soulevait les manches de mon vêtement comme des voiliers. J'étais le Christ sauveur ! Le pain bénit ! Les saints du ciel ! Le boat people des Temps modernes. Je marchais sur les eaux du chagrin, pareille au Christ : « Pourquoi ces larmes, mon petit ? » Je leur ouvrais mes bras pour qu'elles s'y réfugient : « Je peux t'aider, mon enfant ! » Elles s'épanchaient. Il y avait celles à l'allure d'adolescentes attardées : « Je suis venue faire mes études à Paris, mon Gouvernement a coupé ma bourse. » Il y avait celles qui, visiblement, avaient bourlingué du nord au sud, de l'est à l'ouest, et qui se fatiguaient à courir après un destin : « J'ai perdu mon travail, je suis perdue. » Il y avait enfin la catégorie spéciale de celles qui ignoraient quoi faire de leur vie et qui entraient en dépression chronique : « Je m'ennuie de tout ! je me fais chier ! » Elles étaient généralement les plus agressives, les plus réticentes aussi, et je déployais mille séductions pour les entraîner chez M. Trente pour Cent. Je faisais un clin d'œil à mon associé. « T'es un génie, Ève-Marie ! » glapissait-il. J'encaissais mes dix pour cent et les abandonnais aux noirceurs éblouissantes et aux mufles d'océans Indiens.

Je n'avais pas l'impression d'être une mère maquerelle, seulement une mère. Je conseillais les filles sur la manière de harponner un client, de lui extirper le maximum d'argent pour un minimum de service et de faire l'amour avec un homme sans s'épuiser. J'étais certaine de les sauver de mille morts atroces. « Arrête de profiter de leurs misères, me réflexionna un jour Mado, une vieille négresse de Belleville. C'est dégoûtant ! » Je regardai le ciel et la terre à mes pieds : « Avec tous les voyous et les assassins qu'il y a dans ce pays, si je n'étais pas là qu'est-ce qui leur arriverait, hein ? »

Elle cracha, parce que mon argument était imparable.

Au bout d'un mois, j'eus assez d'économies, et je pus emmener Maman dans un vrai restaurant, place de l'Opéra, où des blancs gantés vous servent des saucisses aux choux blancs et de la bière aphteuse.

Maman était sur son trente et un. Je l'avais affublée d'un chapeau en paille avec autour d'énormes hortensias. Elle portait des bottines fourrées et ses pieds se tordaient quand elle marchait. Sa robe en jersey marron mettait en exergue des bourrelets. Elle refusa d'ôter son manteau en phoque. « Il pense que je suis une cambroussarde ou quoi ? dit-elle à l'adresse du serveur qui lui offrait ses services. Je me fais pas détrousser en plein jour, moi ! »

Pendant le repas, Maman n'arrêta pas de s'alimenter dégueulassement : elle mangea son poulet avec ses doigts, broya les os et les recracha dans l'assiette *tut-tut !* Elle critiqua tout : les quantités de nourriture qu'on présentait : « C'est pour un oiseau, ça ! » ; le goût du poulet : « Que c'est fade ! On dirait du sable ! » ; les assiettes fines en porcelaine : « Normal qu'ils te foutent à manger dans des plats pareils. C'est pour cacher qu'ils sont pingres ! » Elle accompagnait ses acerbités de grimaces de dégoût. Pléthore, gêné, regardait le plafond où des angelots environnaient des femmes aux seins nus. On eût dit un pingouin dans son costume noir et cravate blanche. Au moment du café, Maman parla de l'Afrique en se cure-tant les dents :

— Tu te souviens des jacarandas en gerbe d'or de notre concession ? Ils poussent tout seuls. Et du baobab aussi, tout vert quand il fleurit à la petite saison des pluies et puis des bou-gainvilliers, d'un violet intense.

Elle retroussa violemment son nez avant de continuer :

— Pas comme ces arbres misérables qu'on voit ici.

— L'hiver oblige les hommes à soigner la végétation ici, dis-je. Ils travaillent dur pour les faire pousser.

Elle envoya un long crachat sur la moquette et les gens nous regardèrent.

— Ça c'est du vrai travail, dit-elle. Dur et vrai comme les maris qui suent sang et eau pour nourrir leurs familles... Pas comme ces...

Et ses yeux harponnèrent Pléthore.

J'eus honte et mal. J'aimais Pléthore, parce qu'il rêvait des révolutions aux Cubas, aux Angolas, aux îles Bermudes, et qu'il brodait la vie en poèmes d'or, en arcs-en-ciel tendus comme des cordes, en verts pâturages. Ces exaltations étaient en prison dans son crâne. Il n'en possédait pas les clefs et ne savait comment expliciter les choses à Maman. Deux larmes perlèrent à mes yeux. Il était temps de partir.

Place de l'Opéra, un nègre haranguait la foule : « Dix francs pour l'exécution du grand dictateur de toute l'Afrique ! » Au fur et à mesure qu'il parlait, son chapeau mou avait du mal à rester fixé sur son crâne et les cloches d'une église tintinmarraient dans l'air enivrant, saturé de toutes les fragrances du renouveau africain en France, au milieu des battements d'ailes joyeux des pigeons. Maman, croyant qu'il s'agissait d'un enterrement, sautillait de plaisir : « C'est vraiment chouette, hein, la mort ? » Une jeune fille en pantalon noir et longue traîne blanche passa et les gens crièrent : « Vive la mariée ! » Maman poussa un hurlement sévère : « C'est vraiment étrange, ce pays ! »

Et c'était étrange, d'autant qu'à Belleville Mme Flora-Flore continuait à regarder chez moi, une main sur le front pour se protéger du soleil, l'air inquiète comme un singe guetteur ;

d'autant que le docteur Sans Souci dansa tant le fox-trot aux Belles Parisiennes que lorsque Solange, son épouse, revint quinze jours plus tard de son escapade avec son amant, il l'expédia illico cueillir les haricots. Elle se retrouva stagiaire chez M. Trente pour Cent. « Mon honneur est sauvé, Ève-Marie, me dit le docteur Sans Souci en se trémoussant. C'est qu'une pute maintenant et je peux l'avoir quand je veux ! »

Maman retourna en Afrique avec ses déceptions et tout ce qu'elle avait sur le cœur, tout ce contre quoi elle aurait voulu me prévenir, ces désillusions dressées comme des fils barbelés sur nos chemins, à nous briser les os. Longtemps après sa mort, je regretterai de ne pas l'avoir aidée à trouver les mots ni les moyens de se faire comprendre, mais j'eus le temps d'apprendre qu'il est impossible aux vieux de se faire écouter des jeunes, autant qu'espérer entendre les morts parler aux vivants.

Tôt dans l'été, le soleil se fit si généreux que les femmes oublièrent leurs manteaux accrochés dans les penderies. Les jambes nues apparurent. Les désirs des hommes dilatèrent leurs paupières. Des bourgeons mauves, blancs ou roses s'accrochèrent aux branches des arbres et flottèrent dans la lumière.

Je transformai notre appartement en maquis, restaurant clandestin. Je recouvris mes fauteuils Louis XVI de chez Conforama de plastiques pour ne guère les abîmer. J'installai de petites tables rondes dans les moindres recoins et des chaises alentour.

— Personne ne voudra venir manger ici, dit Pléthore, sceptique. A mon avis, ils préféreront un vrai restaurant avec musiques et ambiance.

Je fis des cartes que des mômes babillards distribuèrent dans Belleville. On pouvait lire :

Mangez comme chez vous, avec Ève-Marie,
première Dame de l'univers,
indiquée par son patronyme.
Porc-épic à gogo, Crocodile à la brouette
Et pour pimenter le tout, discrétion assurée.
Téléphonez au : 01-09-09-09-00

Très vite des nègres nostalgiques et des blancs négrifiés vinrent chez moi. Ils s'y ensablèrent au vin de palme, s'y aphrodisiaquèrent au jus de gingembre tout en dégustant des poulets bicyclettes, du pépé soupe aux poireaux jaunes. En quelques semaines, j'eus une clientèle fidélisée et nombreuse. Il y avait Mlle Babylisse, négresse de trente-quatre ans, hautalonnée, avec d'énormes tresses, qui ambitionnait d'être coiffeuse spécialisée dans les perruques mais qui, en attendant, peuplait la France de bâtards. « Ça rajeunit une race, le métissage ! » clamait-elle à qui voulait l'entendre. Elle s'amenait avec de la clientèle de province, des blancs, de vrais ploucs à qui je faisais payer le double des prix. « C'est la santé l'Afrique, mon cher ! C'est l'amour gratuit ! » leur disais-je pour qu'ils casquent sans protester. Il y avait le docteur Sans Souci. Il s'amenait vêtu d'un jean et d'un blouson d'où apparaissait son long cou de poulet. Il mangeait du ngombo et pleurnichait devant la vraie vie qu'il découvrait dans mon maquis, à cinquante ans et des poussières : « Tu peux me dire pourquoi j'ai perdu toutes ces années, hein ? » Il y avait M. Rasayi, héritier de droit de l'Académie française, un Éthiopien aussi maigre qu'un clou. « Qu'est-ce qu'ils font comme fautes de langue, ces blancs ! » ne cessait-il de répéter. Il sortait un stylo rouge et corrigeait à gros traits les impropriétés grammaticales des journaux. Et bien d'autres encore, que la vieillesse a effacés de ma mémoire. Tenez, j'allais oublier M. Bassonga, un tirailleur sénégalais de son état avec une tête de taureau. Il s'asseyait dans un coin, tirait sur les bretelles rouges de son pantalon, ouvrait cette chose lippue qui lui servait de bouche : « Moi, je veux manger que ce qui a brûlé au fond des casseroles ! Ça me rappelle quand j'étais petit ! » Et comme le riz collant au fond des marmites était difficile à gratter, je le laissais me les nettoyer, gratuitement.

J'étais heureuse, je croyais avoir réussi sans gêner les mœurs. J'étais un exemple parfait d'intégration pour toutes les négresses. Pendant un hiver je m'étais promenée sans manteau pour m'endurcir au froid ; j'avais appris à lire et à écrire, je pouvais distinguer un A écrit en gros caractère sur un sac de farine, même un petit *a*. Je connaissais l'heure et, quelquefois, j'accompagnais Pléthore dans ces meetings politiques où des orateurs aux voix de contralto avaient des opinions. Plus tard je lui confiai mon bulletin de vote, parce que l'histoire de l'espèce humaine avait déjà son explication et que j'avais de sacrés chats capitalistes à fouetter.

Ce matin-là, alors que je faisais revenir des oignons, qu'au loin la ville s'éveillait sous le soleil, Pléthore s'escrimait avec Baudelaire :

Grands bois, vous m'effrayez comme des
cathédrales ;
Vous hurlez comme l'orgue ; et dans nos cœurs
maudits,

*Chambres d'éternel deuil où vibrent de vieux
    râles,*
Répondent les échos de vos De profundis.

J'étais heureuse de l'écouter. Son excitation
faisait aussi plaisir qu'un arbre de Noël. Je
dénombrais sur son visage une gamme d'émotions variées. Sans comprendre le sens des
phrases, il y avait dans ces vers comme un
parfum des vieilles amours, une chaude lueur
des souvenirs ou les vertus miraculeuses des
comptines. Soudain, un roulement de tambour
rompit cette magie : « Dernier avis avant représailles ! Les habitants du quartier sont invités à
mettre leurs ordures dans des sacs-poubelles
bien fermés. S'ils ne le font pas, nous nous
mettons en grève ! »

Par la fenêtre que mon coude touchait presque, je vis les rangées de roses trémières que
Mme Trublion plantait sur son balcon et des
nègres vêtus de combinaisons vertes. « Dernier
avis avant représailles ! » Pléthore, énervé par
cette interruption, s'accroupit à quatre pattes
sous le canapé et chercha ses sandales : « Ah,
des nègres faire une révolution ! J'aimerais voir

ça ! » Puis il se mit à grasseyer comme à chaque fois qu'il se moquait du monde.

J'en avais ras le bol de l'entendre goguenardiser sur les Africains qui se laissaient vivre le ventre au soleil et la tête dans les étoiles. « Chaque peuple a son rythme biologique ! » lui dis-je. Sans lui laisser le temps d'attroupailler des mots dans sa tête, je me concentrai sur les oignons que j'épluchais.

— T'as un tel sens pratique ! dit Pléthore en surgissant dans mon dos. On doit s'arrêter de temps à autre et faire le bilan. Toi, jamais !

— On a quatre mille neuf cent cinquante-trois francs net par mois, dis-je.

— Et ça te suffit ?

— Peut-être que le Seigneur me donnera un fils...

— C'est tout ?

— Que veux-tu d'autre ?

— Un changement, une belle surprise, quoi !

— J'ai quarante ans et des poussières. La belle surprise ça serait un môme bien braillard, tu vois ?

— Oublie ça, mon chou ! Il y a déjà trop de mômes sur terre. Une révolution avec étripements, ça c'est une belle surprise ! Ou que toutes les banques fassent faillite ! Que les pauvres deviennent riches et les bourges pauvres ! Ça serait magnifique, ça !

Je lui jetai un regard et une vague de pitié me submergea. Je me dis que c'était horrible d'être une personne hors du commun, d'avoir des dons et des qualités exceptionnels et de ne pouvoir les exploiter. Je baissai la tête et me mordis les lèvres : quand on tuait des gens dans le monde, que des enfants mouraient de faim, j'étais submergée de souffrance – je pensais constamment à ces malheureux innocents, mais j'avais les pieds sur terre. Je n'aurais jamais abandonné mon maquis pour une cause. D'autres étaient malades ou mouraient et tout cela était affreux – mais notre ménage et mon maquis poursuivions notre route sans relâche.

– C'est à cause de votre léthargie que votre continent va mal, lança Pléthore, goguenard.

Il glissa ses bras sous mes seins qui ne trouvaient plus soutien à sa corpulence. Je me retournai, détaillai son allure d'asperge géante, ses grosses mains rouges aux ongles crevassés et lui caressai les cheveux.

– Le problème, dis-je, c'est que le monde des blancs est vieux. Vous avez besoin des choses extérieures pour exister. Nous, on apprend à profiter des petites choses comme le simple fait d'être en vie !

– Tu ne changeras jamais !

Il éclata de rire et je fis une chose que je ne faisais plus dans la journée, depuis mon mariage : je me retournai et le rouge battit à mes joues, et des tortillons pleins de piquants titillèrent mes nerfs. Pléthore fut si surpris par cette puissante impulsion que ses yeux brillèrent à la manière d'un vieux cuivre.

– T'as de la fièvre ?

– Des rêves de bâtir des belles choses, j'en ai moi aussi, j'en ai eu. Mais maintenant, ils ne s'éloignent plus de ton corps.

Et c'était une réponse aux problèmes métaphysiques que cette société féconde en déceptions avait pondus sous nos peaux. Je jetai mes bras autour de son cou et des anges dansèrent sur les toits. Des laves dégoulinèrent le long de mes artères et des nuages de papillons jaunes s'envolèrent sous nos yeux. Nous marchâmes maladroitement vers le canapé, gargouillants, tels des fantômes frissonnants. Il nous accueillit et, comme nos désirs étaient magnifiques et que le monde réel ne recelait nulle expérience apte à les satisfaire, nous nous transformâmes en atomes de chair et de sang, qui s'élevaient et fondaient, fondaient et s'élevaient encore, brouillant l'immense étendue des continents endormis, des villages entourés d'arbres livrés à l'harmattan et des petites îles de la mer offertes aux cyclones.

Nous revenions à peine de ce long périple lorsqu'on tambourina à la porte : « Ouvrez ! Ouvrez ! » La voix ressemblait aux éternuements des chevaux : « Au secours ! Au secours ! » Je sentis le dos de Pléthore se crisper. « Saperlipopette ! » cria-t-il. Il ramassa d'un revers son pyjama et, sans prendre le temps de s'en servir, courut vers la porte, nu. Je restai seule, déchirée par l'amertume violente d'une envie insatisfaite. « C'est pas possible ! hurla soudain Pléthore. Qui est-ce ? Qui a bien pu faire ça ? » J'enfilai mon kaba, le rejoignis, et les mots restèrent accrochés à ma gorge.

Chaque centimètre du palier était couvert de chaussons ou de bottes, de sandales ou de souliers de cuir. Mes voisins s'éparpillaient jusqu'à la cage des escaliers, se tenaient aux rambardes : « Pousse-toi, pour que j'y voie clair ! » Ils se penchaient les uns sur les autres pour jouir de l'horrible spectacle : « Qui est-ce ? », et « Comment qu'elle s'appelle ? », et encore « D'où qu'elle vient ? »

Une jeune femme était allongée sur le plancher. Personne ne l'avait jamais vue dans le quartier, ni croisée, voilà pourquoi je la surnommai Mlle Personne. Ses yeux congestionnés roulaient dans sa tête. Des griffures larges zébraient son cou. Sa bouche était ouverte et sa langue pendait sur le côté ; un filet de sang dégoulinait de son crâne en rigole et collait ses cheveux blonds. « Qui a bien pu faire ça ? » On haussait en concert les épaules. « Quelle importance y a-t-il de connaître celui qui a commis ce crime ? demanda Pléthore, philosophe. L'homme est né pour détruire ! » Mme Joaqui de las Silvas, une vieille Espagnole qui avait été riche en son temps, s'agitait dans sa robe cousue de perles qui étincelait et tintinnabulait : « Je l'ai trouvée là lorsque j'ai ouvert la porte, *o Dios mio !* » Son chapeau de plumes ondulantes s'envolait : « Une vraie boucherie ! Que devient le monde, Seigneur ! » M. Félix Éboué ouvrit sa Bible : « C'est parce qu'elle n'a pas trouvé le jardin d'Éden gardé par les quatre chérubins de son Seigneur ! » M. Blaise de Douala, un vibreur black, l'observa et sentit son sexe se contracter. « Rien qu'à voir ses sous-vêt, des femmes comme elle n'existent pas à Belleville, mes chers ! pleurnichait-il. Avec elle, la vie quotidienne rejoint les beaux-arts ! »

Je frissonnai. A l'époque, la vue d'un humain allongé dans son cercueil m'enfonçait dans le cauchemar. Quelquefois, dans la noirceur de ma chambre, je songeais aux millions de créatures sous terre à pourrir dans la solitude. Bien que je crusse en Dieu, en l'esprit des quatre Évangiles et au sermon sur la montagne, j'aurais voulu inventer quelques subterfuges afin d'échapper à la mort, tant la vie, qui ne connaissait d'autre issue, me paraissait un piège.

M. Pégase, le disséqueur de cadavres, s'accroupit en frissonnant de plaisir : « Strangulation avec rupture de l'aorte respiratoire. » Il fit basculer la tête du cadavre à droite : « Fracture du crâne ! » Il retroussa ses lèvres, découvrant ses dents jaunies par le tabac : « Hémorragie interne provoquant une mort instantanée, évidemment. »

Puis il se releva, déployant ses frêles épaules perchées sur un tronc qui flottait dans des vêtements trop larges. Il essuya ses mains sanguinolentes sur le mur et regarda sa montre :

— La mort doit remonter à trois heures de la nuit, si l'on en croit la rigidité du cadavre.

Puis comme une blague, il ajouta :

— Il faut avertir la police !

J'eus l'impression de gonfler jusqu'à devenir une montagne géante avant d'éclater :

— J'ai rien vu, moi ! criai-je. Je ne suis pas là pour les questionnements et les accusations de crime avec préméditation !

Une rosée de transpiration apparut sur toutes les lèvres et les respirations s'accélérèrent : « On n'a rien vu, nous, braillèrent les nègres en concert. Faut des blancs pour expliquer aux blancs pourquoi une blanche est morte ! » J'entendis une voix chanter quelque part en anglais et j'aurais voulu comprendre les paroles de cette chanson. « Je ne suis qu'une *extranjera aqui* ! » clama Mme de las Silvas. La voix au loin était rosée et ondulante dans le vent, rosée et rondelette comme une tranche de saucisson. « Faut que le temoin n° 1 soit un vrai Français et bon citoyen ! » suggéra de las Silvas.

Comme un signal, on fixa Pléthore... Yeux suppliants des vieilles femmes, yeux inquiets des jeunes au chômage à perpétuité, visages des nègres terrifiés, ces yeux espéraient la réalisation d'un miracle ou d'une prophétie. C'était pittoresque et suranné. La peur rôdait et encroûtait les esprits. Ce n'était pas seulement les femmes et les vieillards qui avaient peur. Des jeunes gens vigoureux tressaillaient dans leurs jeans et cette peur nous réduisait à un dénominateur commun : nous n'étions que des pauvres ou des immigrés et le resterions jusqu'au prochain millénaire.

— Je pense pas qu'il y ait encore des vrais Français en France, dit Pléthore.

— Vous, mon ami, vous êtes un révolutionnaire, dit dans un étonnement M. Pégase. Et comme tel, vous pouvez tout assumer !

— Pas un martyre, répondit Pléthore.

Puis il décrivit les dures épreuves du révolutionnaire dans les tranchées et les terribles épidémies qu'il devrait affronter : dysenterie à lames rouges, choléra d'Afrique à mort rapide, sans oublier les fièvres jaunes, les vipères à tête d'épingle, les moustiques gros comme des milliers de rats verts. Tous ces maux, il était prêt à les subir, voire à partir en Mésopotamie déterrer des cadavres de Boches. Mais de là à se jeter dans la gueule du loup, gratuitement, jamais !

Mme Flora-Flore se rongea les ongles, ouvrit la bouche et lança d'un ton méprisant :

— Paroles en l'air, tout ça.

C'était la première fois que j'entendais sa voix et la mienne s'éteignit. Pléthore leva ses yeux, irrité :

— Tu me défies ?

— Pas besoin ! dit-elle, hautaine.

Je remarquai qu'elle avait les paupières gonflées de larmes. Et, comme elle refusait d'écouter ces tas de menteries, elle redescendit chez elle. « Elle est vraiment bizarre, cette gonzesse ! » dit Pléthore en éclatant de rire. « Quand le chat n'est pas là, la souris danse, lança Félix Éboué. J'ai vu partir son mec dès les aurores. »

65

Puis, se rappelant qu'il venait d'être pris en fla-
grant délit de vantardise, Pléthore se crut obligé
de s'expliquer en ces termes : « Un révolutionnaire vit en fonction de ses idées » et j'en fus
fière. « Un martyr, lui, est capable de se jeter
dans le feu rien que pour en sentir les effets,
bah ! » et je crus l'aimer jusqu'au tombeau.

— Et le cadavre alors ? demanda Mme de las
Silvas. Qu'est-ce qu'on en fait ?

— Pourrait rester là et se décomposer tranquillement, suggéra quelqu'un.

— T'as jamais fait de chimie, toi, constata
Pégase. On aura droit aux effluves, à la putré-
faction, aux asticots et autres cloportes, c'est
moi qui vous le garantis !

— Il faut s'en débarrasser, dit Pléthore. Et pas
un mot de tout cela à quiconque.

Il regarda devant lui et ce fut comme si le
flot de la mer Rouge s'ouvrait devant nous,
juste assez pour nous permettre de passer de
l'autre côté. « Motus et bouches cousues ! »
criâmes-nous tandis que les hommes – *ho-
hisse !* – traînaient le corps à la cave : « Personne
n'a rien vu ! » Nous l'installâmes à même le
ciment, le recouvrîmes d'un drap blanc et allu-

mâmes des bougies. Nous nous mîmes en cercle autour d'elle et M. Félix Éboué nous fit chanter : « Ce n'est qu'un au revoir, ma sœur ! » Les flammes lançaient des éclairs de flammes sur le visage grisâtre de la morte et ses cheveux or rutilaient. Quand nous achevâmes prières et chanson, Pléthore se racla la gorge. « On s'occupera de l'emmener ailleurs, ce soir », dit-il. Nous nous signâmes. « Au revoir, mademoiselle Personne », dis-je. Puis nous nous éparpillâmes, masqués de chagrin mais rassurés quant au fait que Mlle Personne allait se retrouver chez les vrais Français qui puent la fleur de lys et la lavande, la rose et les trèfles, ceux-là qui bénéficient sans soupçon des allocations et jouissent d'une bonne réputation.

Une maladie jusque-là inconnue de mon âme m'envahissait. J'étais triste et angoissée. Je pensais à Mlle Personne et j'étais triste, angoissée. Il y avait un assassin pas loin de nous, peut-être même à côté. L'air de rien je menais ma petite enquête auprès des voisins et cela donnait ceci :

— La nuit du meurtre, je ne dormais pas, disais-je. J'ai entendu les bruits de pas d'un homme.

— T'aurais dû aller voir, me reprocha Pégase. C'est cette indifférence qui tue la France. Moi, je dormais comme une chèvre !

— Moi, j'ai rien entendu, dit Félix Éboué, je priais le Seigneur !

— Moi, je n'étais pas chez moi, dit Mme de las Silvas. Je suis revenue que le matin.

— J'ai une femme à disposition, me répondit

Jean-Pierre Pierre, le compagnon de Flora-Flore. Si je dois en tuer une, je commencerai par elle.

Il avait raison et tout le monde avait raison. Je regardais Sherlock Holmes à la télévision et tentais de l'imiter. Je n'étais pas une fine limière, mais je n'abandonnais pas. Au marché de Belleville ou chez le boucher, j'interrogeais les gens : « Quoi de neuf, monsieur Moham-med ? » ou : « Quelles nouvelles du quartier, madame Truchman ? » Tout en arrangeant mes bas je guettais les titres des journaux. A la fin je demandai à Pléthore où ils avaient jeté Mlle Personne et si on l'avait retrouvée :

— C'est pas une affaire de gonzesse, chérie !

— T'as une idée de son assassin ?

— Va savoir, avec tous les maniaques qu'il y a dans cette ville ! dit-il excédé. C'est peut-être l'œuvre d'un fou, ou d'un obsédé sexuel, ou d'un amant jaloux, ou même simplement d'un règlement de comptes entre bandes !

C'était romantique comme un film de la Gaumont, et je ravalai ma curiosité. Dix fois je me promis de m'en dépréoccuper, dix fois je descendis à la cave à l'endroit où était exposé son cadavre, prier pour son âme et trouver un indice. Pourquoi diable n'arrivais-je pas à me désintéresser de cette fille ? C'était quoi mon problème, à la fin ? Tandis que je cuisais mes crêpes, les paroles de Maman me revenaient et je pensais à mon Afrique, à ses espaces dégagés et herbeux, à ses concessions cernées de buissons à trèfles jaunes, au bleu immaculé de son ciel, au bruissement sec des feuilles qui tombaient, aux écureuils qui bondissaient de branche en branche.

Ce matin-là, Pléthore sortit de la salle de bains en aplatissant ses cheveux mouillés et s'assit à l'extrémité de la table. L'odeur de tomates frites envahissait la pièce et je lui servis des tranches de pain grillées et du porc-épic : « C'est excellent ! » Entre deux bouchées il lisait son journal : « T'as encore vu ce qu'a fait le patronat ? Plus de deux cents personnes qu'ils veulent mettre sur la paille. C'est un scandale !

— Et la fille morte ? T'as des nouvelles ?

Il leva son nez en fronçant les sourcils comme si je venais de dire une insanité et se plongea de nouveau dans les mauvaises nouvelles : en Afrique, on bousillait les éléphants ; au Bangladesh, on esclavagisait les enfants ; au Pérou, on volait des organes. Et parce que je restais convaincue que tout ce que le soleil a vu, les hommes finissent par le savoir, qu'un assassin vivait parmi nous et que, vaille que vaille, la facture viendrait et qu'on finirait tous en prison, je sortis sur le balcon. Les rosiers grimpants de Mme Trublion captaient le soleil et scintillaient comme autant de lampions. Mme Flora-Flore était de l'autre côté de la rue et regardait chez nous. Pléthore surgit dans mon dos. « C'est magnifique ! » dit-il en désignant les rosiers du menton.

— Regarde plutôt, fis-je en montrant Mme Flora-Flore. On dirait une âme errante. Qu'est-ce qui peut bien lui tourner dans la tête ? Peut-être qu'elle croit que nous avons tué Mlle Personne.

Il éclata de rire.

— Arrête d'être paranoïaque, ma chérie. C'est parce qu'elle n'a personne qui l'aime, ajouta-t-il avec beaucoup de gentillesse.

Je ris à mon tour et Pléthore alla mettre une valse. Il me prit dans ses bras et nous tournoyâmes dans la pièce. Je respirais son odeur et la musique se mêlait aux tumultes de mes propres émotions. Entre deux rondes, je vis le visage malheureux de Mme Flora-Flore. « Pauvre fille », me dis-je, et je priai pour Mlle Personne, en train de pourrir seule quelque part. Puis je me tournai avec une sorte de lâcheté douloureuse vers ces bonnes vieilles choses familières aussi certaines qu'un lever du jour.

— Tu te sens mieux ? me demanda Pléthore.

— Faut que je parte à Rungis, dis-je. Ils vendent les légumes bon marché, paraît-il.

Et comme j'avais pris soin la veille de mettre en évidence sur le dossier d'une chaise tout ce dont il avait besoin : une chemise, des chaussettes et même un mouchoir, il s'habilla. « Qu'est-ce qu'elle veut, à la fin ? » dit-il en allusionnant Mme Flora-Flore. Je haussai les épaules : « Sûr qu'elle a des idéaux. Ça vous rend un être muet lorsqu'il ne peut pas les atteindre. » Quelques instants plus tard je l'embrassai : « A plus tard, chéri ! » Quand je me retournai Mme Flora-Flore avait disparu.

Il y avait foule dans Belleville. Une Arabesse hurlait après son mari et le frappait à coups de

feuilles de menthe : « Fous le camp, Mahomet !
Je veux plus te voir ! » Un groupe de Chinois
aux mines hypocrites magouillait et souriait
aux passants. Des gens s'agglutinaient parce
qu'il se passait quelque chose d'étonnant : une
voiture qu'on emmenait à la fourrière ; une
vieille femme à qui on arrachait son sac. Plus
loin, une mendiante aux dents pourries haranguait un homme. « T'as pas honte de me donner juste un franc, égoïste ! criait-elle. Je mérite
mieux, pas vrai ? » demandait-elle en prenant
la foule à témoin. Puis elle souleva ses froufrous
cambouissés et découvrit son caleçon crotté.
C'était drôle, c'était marrant, parce qu'on était
à Belleville, un quartier parenthèse à l'intérieur
de Paris, qu'on pouvait y vivre de grands bonheurs simples estampillés d'amitié et de solida-
rité aux couleurs de toutes les nations.

Je pensais à Mlle Personne si fortement que
des petits cris sortaient des arbres comme si des
milliers de femmes y souffraient. J'étais si
préoccupée que je ne vis pas M. Michel et,
lorsque nos épaules se touchèrent, des étincelles
jaillirent. Je sursautai comme lorsque je sortais

une casserole du feu et qu'elle me brûlait les doigts.

— Une belle pomme pour toi, ma jolie !

Je le narguais tant je marchais sur des eaux irritantes. Toute une monstruosité violente se décorpora et sortit par ma bouche :

— Tu m'as fait peur, imbécile !

Il fit comme s'il ne m'entendait pas, joua de la mécanique érotique, battit des paupières, roula des yeux, passa sa grosse langue rouge sur ses lèvres.

— Si tu veux, me dit-il, nous pourrons sortir ensemble. C'est encore mieux quand on est marié.

Il souriait d'aise comme une splendeur offerte gratuitement. Sa chemise rouge était mouillée aux aisselles et à l'endroit où ses bretelles vertes le serraient aux épaules. Une faune de jeunes effarés passa en lançant des trilles de joie tels des oiseaux. Un marmottement d'effroi sortit de ma gorge et le ciel creusa un abîme au-dessus de ma tête.

— J'ai oublié mon porte-monnaie !

Je repris le chemin inverse en me frayant une route au milieu de tous ces gens qui n'avaient pas d'argent à dépenser. J'étais paniquée à l'idée que quelqu'un ait trouvé mon portefeuille. L'angoisse m'étreignait toute. « Seigneur, ôte cette embûche de mon chemin », suppliai-je. Puis je me rassurai en me disant que la miséricorde divine était immense. Un pigeon en vol caqua et sa fiente s'écrasa sur mon pied. Un chien abandonné me regarda de ses yeux larmoyants, je le caressai et défientai ma chaussure sur ses poils. Je pénétrai chez moi, et ce que je vis me fit pousser un cri compulsif :

— Seigneur !

Pléthore était agenouillé entre les jambes de Mme Flora-Flore. Il œuvrait avec violence et la jeune femme s'activait avec une passion choquante. Dès qu'ils me virent, leurs visages se morfondirent en plaisirs contrariés :

— Qu'est-ce que tu fais là, Ève-Marie ?

Des envies de meurtre me traversèrent : j'eus des rasoirs plein la tête, des couteaux de boucher, des mitrailleuses, des Kalachnikov, des sacs en plastique pour étouffer les salopes, les maîtresses, les tapinettes, les boutonneuses, les adolescentes à l'éclat d'or qui vous secouent leurs désirs sous le nez et vous arrachent vos époux.

Je sortis en claquant la porte tant je me sentais idiote. Je courus par les rues semer le scandale. C'était ma façon à moi de prévenir les putrissures auxquelles je m'attendais de la part des gens : « C'est la cocue qui passe ! » Je clamai ma honte chez l'épicier, chez les négresses de Belleville et même aux Belles Parisiennes, en un langage cru. Toute une mort me picorait les intestins et je ne m'en méfiai pas. Soudain Yasmina, une Algérienne attifée comme la reine de pique et qui se prenait pour une extralucide, jaillit dans le café en tapant des pieds. « Les pompiers vont pas tarder à arriver, glapit-elle. Bientôt il y aura mort d'homme ! » Un cortège de négresses s'avança pas à pas, engoncées dans les boubous colorés, agitant des mains, hululant : « C'est pas permis de faire des choses comme ça ! » J'eus envie de m'enfuir mais, déjà, Mama Suzanne, M'am Myriam, M'am Térésa, M'am Soumia et bien d'autres déracinées encore, qui étaient au courant de mes malheurs, me bousculaient de leurs fessiers. « Tu nous couvres de honte, ma chère ! » vociféraient-elles. Les putes riaient. Elles mâchaient des pistaches et caquetaient en symbiose : « Une négresse qui se comporte comme une blanche, du jamais vu ! » Et encore : « Qu'est-ce que ça peut bien faire d'être trompée, hein ? Nous n'en sommes pas mortes, nous ! Pas vrai, les filles ? » Elles acquiesçaient, montraient l'éclat blanchâtre de leurs dents et les peaux des pistaches s'envolaient en l'air comme des plumes. Elles en avaient vu des pas avalantes dans leurs carrières d'épouses bafouées. Elles avaient vécu de sordides intrigues familiales et de villageoises mesquineries. A les entendre, elles étaient de grandes politiques en la matière : elles prenaient au sérieux tels détails, mais usaient et abusaient des protocoles qui permettaient de rendre proprettes les guerres les plus sanguinaires. Dans une horrible cacophonie, elles blablatèrent sur les couples mixtes qui se cassaient à coup sûr le cou : « Que voulez-vous qu'il arrive quand on accouple un chien et un chat ? » Elles me toisaient : « Qu'est-ce que tu croyais, toi ? Qu'il allait vivre définitivement avec toi ? Que les fesses bien blanches de ses sœurs blanches ne lui manqueraient pas ? »

Elles concluaient : « Il en a marre de manger des macabos et des plantains. Ce qu'il lui faut, c'est des steaks frites ! »

Elles riaient et maudissaient l'attirance pour le péché, ce désir absolu de briser les tabous qui poussait un blanc et une noire à s'afficher ensemble, à jouer au diable jusqu'à contracter mariage. J'avais hâte qu'elles aillent piapiater sous d'autres cieux, avec leurs ongles vernis d'où émergeaient d'en dessous six kilos de crasse, leurs tralalas de sagesse de la femme noire qui sait prendre avec détachement la fatalité qu'est l'homme et son besoin de paradis charnel permanent. « Excusez-moi », dis-je en fendant la foule. M. Trente pour Cent me saisit le bras, amical. « T'es ici chez toi, ma chérie. Tu peux revenir quand tu veux, n'est-ce pas, les filles ? » ajouta-t-il. Je m'éloignai tandis que, dans mon dos, j'entendais Mama Mado hurler :

— En plus, ton Pléthore ne sait rien foutre de ses dix doigts. Il faut bien qu'il tue le temps !

Je revins à la maison, décidée à rouer Pléthore de coups de pied jusqu'à le rendre bossu ou à lui écrabouiller la figure. Je fus soulagée car la maison était vide. J'avais l'impression d'être débarrassée d'un grand poids. Quelque part un chat miaula, un chien gémit et c'était la vie qui reprenait ses droits. Je me fis un lait très sucré pour calmer mon chagrin. Je courus fermer les volets et je vis dans la cour Mme Flora-Flore qui observait chez moi. Elle me sourit et me fit un signe de la main.

Pléthore était parti et j'en étais vaguement malheureuse. Et si ces négresses avaient raison ? Si les sentiments entre noir et blanc étaient impossibles, comme la semaine des six samedis ? Et s'il n'avait été attiré que par l'exotisme et qu'une fois rassasié de tout ce qu'il y avait à prendre, à jouir, à manger, à boire, il s'en était lassé ? Maman avait dit : « Ce que tu veux réaliser, il faut quatre générations de femmes pour le construire », et je me dis qu'elle avait raison. J'aurais dû l'écouter. D'abord, qui était Pléthore ? Il m'avait dit qu'il n'avait pas de famille, je l'avais cru. Il m'avait dit qu'il m'aimait, j'y avais cru. Ce qui ne l'avait pas empêché de me tromper ignoblement. « Allez savoir si c'est pas lui, qui, après avoir profité de Mlle Personne, l'aurait assassinée pour qu'elle ne dévoile pas leur liaison ! » me dis-je en moi-même.

Le doute m'assaillait, les préjugés remplaçaient les émotions et m'embrouillaient tant l'esprit que je changeai la serrure d'entrée de notre appartement. Pléthore revint et j'allai me faire couler un bain. Il frappa et j'entrai dans l'eau. Il menaça d'enfoncer la porte et je me savonnai.

– Ce n'était rien, mon amour ! cria-t-il. C'était que du sexe, rien que du sexe !

Je ne lui ouvris pas. Je l'entendis développer d'une voix étouffée la théorie freudienne du désir en y mêlant les théories scientifiques à la Darwin, auxquelles je ne compris rien puisqu'elles n'appartenaient pas à l'univers de ma mère. Les sons qu'il émettait étaient rauques comme s'il avait enfoncé sa bouche dans un chapeau melon. Puis j'entendis ses pas décroître. Pendant des jours et des jours je ne sus comment je réussis à me lever chaque matin. J'avais d'horribles pulsations aux tempes et ma tête explosait. Je servais mes clients dans un état second : « Une fournée de porc-épic, madame Suza ? » Un jour pourtant, les yeux de Mlle Babylisse s'attardèrent sur mes gros seins et sur mon tablier qui recouvrait mon ventre bedonnant. Elle fronça son nez qu'elle avait fait raccommoder pour attirer les fermiers de France : « Ce qu'il te faudrait, c'est un môme ! » L'allusion à ma stérilité me pinça le cœur. « Qu'est-ce que tu veux que je fasse avec un môme à mon âge ? demandai-je. T'en fais suffisamment pour que tu m'en prêtes un de temps en temps quand j'en ai besoin ! » Elle me chuchota quelque chose à l'oreille et je m'écroulai. « Mon Dieu ! » vociféra-t-elle.

Mes clients me dirent que je m'étais évanouie. Je repris connaissance sur mon lit qui sentait Pléthore. Le docteur Sans Souci me tapotait le visage avec une éponge mouillée et Mlle Babylisse était debout à ses côtés, une tasse de thé à la main. Plus loin, une grosse chienne jaune haletait et bavait.

— T'es à bout de nerfs, ma pauvre Ève-Marie ! dit le docteur Sans Souci. T'as besoin de quelques jours de repos !

Je bus du thé pour faire plaisir à mes soigneurs. Il avait un goût âpre mais je l'avalai jusqu'à la dernière goutte, ainsi que le cachet que me tendit le docteur Sans Souci, parce que l'atmosphère autour de moi était aimable. Même la chienne haletante avait une belle gueule.

— Au moins entre elle et moi, dit le docteur Sans Souci en caressant la tête de l'animal, c'est jusqu'à ce que la mort s'ensuive. En outre, personne ne peut la faire rôtir !

— Si ça peut te rassurer, me dit le tirailleur Bassonga, il n'y a pas encore de mètre capable de mesurer le degré de cocufication. T'as pas à avoir de la peine !

Mlle Babylisse rajusta sa perruque blonde, mit dans l'ordre son manteau de velours et son manteau de fourrure et fit voile vers le tirailleur :

— Qu'est-ce que tu connais à l'amour, toi ? T'as même seulement un cœur, toi ?

— Ma bourge m'aime, moi ! dit le tirailleur Bassonga en faisant claquer les bretelles de son pantalon. Ma bourge est une vraie femme, elle... Pas comme ces...

— T'as combien de terres, toi ? demanda Mlle Babylisse. T'as combien de bœufs, toi ? T'as combien de poulets, toi ?

Comme Bassonga baissait la tête, elle lui lança d'un ton méprisant qu'avant d'accepter de prendre un verre avec un homme elle s'enquérait d'abord de la façon dont il gagnait sa vie et que, vu sa situation, il n'y avait aucune chance qu'ils puissent élever des cochons ensemble.

Il faisait chaud et clair dans la pièce. Mon cerveau devenait cotonneux et mes yeux étaient remplis de sable.

— Savez-vous qu'on a trouvé le cadavre d'une femme devant notre porte ? dis-je. C'est peut-être Pléthore qui l'a tuée. Parce que, au fond, je ne sais pas qui est cet homme.

— Elle divague, dit le docteur Sans Souci. Tout le monde dehors.

Ils quittèrent la pièce. Le tirailleur Bassonga à qui Mlle Babylisse avait cloué son clapet la ramenait encore de manière subtile. Il haranguait les putes, les homosexuels, les drogués en ponctuant son discours prohibitionniste d'histoires drôles. La porte claqua et je ressentis une grande paix.

Je m'endormis et me retrouvai au sommet du Kilimandjaro. Il y avait de la neige mais elle était chaude comme une couverture aux teintes sombres. Je flottais dans les airs et j'en fus heureuse. Une hirondelle m'apprit à lire dans ses yeux et nous volâmes côte à côte. Un aigle nous menaça et nous lui rîmes au bec. On tambourina à la porte et j'allai ouvrir. Je sus que ce n'était pas un rêve parce que Mme Flora-Flore s'encadra.

– Faut qu'on cause, dit-elle en m'offrant un bouquet d'hortensias.

Je me détournai et elle me saisit le bras :

– Je t'en prie. Je regrette ce qui s'est passé. Je voulais juste connaître un peu de vraie tendresse. Jean-Pierre Pierre est violent, tu le sais, Ève-Marie ? Je veux qu'on se réconcilie toi et moi et si tu le veux bien...

– J'ai rien dit à ton mari pour pas qu'il te tue ! criai-je. Mais ma patience a des limites.

Elle se mit à tousser. Son corps tout entier était secoué de violents spasmes. Puis, sans cesser de tousser, elle se précipita dans ma salle de bains. Je l'entendis qui vomissait. Je restai quelques secondes sans bouger et la suivis. Je la vis dans la pénombre, pliée en deux, tenant son ventre des deux mains. Je me sauvai dans ma

85

chambre et eus honte de l'avoir ainsi abandon-
née. Je me souvins alors qu'elle avait forniqué
avec mon mari, dans mes draps. Je pris une
serpillière et un seau.

— N'oublie pas de tout nettoyer quand t'as
fini, dis-je.

Je fis trois pas en avant et ajoutai :

— Tu claqueras la porte en partant.

L'automne s'amena et Paris devint grisâtre, presque horrible. L'air était aigre et Belleville perdit ses couleurs. Les passants n'étaient plus que des ombres noires qui marchaient à pas rapides, engoncés dans leurs manteaux. Des feuilles mortes bruissaient et pourrissaient sous la pluie. Des choses qui ne ressemblaient à rien se passèrent. Dès qu'elle pouvait s'extraire de sa maison Mme Flora-Flore se précipitait chez moi. Au début je l'accueillais comme une furie, mes bigoudis dressés sur ma tête : « Je ne veux plus te voir ! » Mais ses bons yeux étaient là à me couver et à me procurer une sensation d'étouffement, sans doute parce que sa tendresse me gênait. On restait quelques minutes à se regarder. « Bien, bien », disais-je, et je lui cédais le passage.

Elle attrapait ma serpillière et le balai. Elle s'accroupissait et frottait le carrelage de la cuisine. Elle essuyait les vitres, dépoussiérait mes meubles. Quelquefois elle s'agenouillait et toussait, et apparaissaient à mes regards émerveillés ses petites culottes à fleurs, à cœurs ou à bateaux : « T'es sûre que ça va ? » Elle ignorait ma question et grommelait, à moitié pour elle-même :

— Mon père était fermier. Il y avait du travail pour vingt bras. Je nourrissais les poules. Il y avait aussi des agneaux à qui je donnais le biberon. Ah, si tu m'avais vue. J'avais des joues rondes et roses comme une vraie paysanne et le facteur Didier voulait m'épouser. Je souhaitais connaître Paris.

Elle s'arrêtait, regardait le plafond, puis trempait brusquement son balai dans le seau.

— Didier se serait contenté de m'aimer ou de me faire six enfants alors que Jean-Pierre Pierre a besoin de me battre parce qu'il m'aime !

— Tu connaissais, toi, Mlle Personne ?

Elle haussait les épaules.

— Non ! De toute façon, je parie à un contre

mille que c'est un homme qui l'a tuée. Un homme qui n'aime pas les femmes.

Elle me servait le petit déjeuner au lit. Elle préparait des gâteaux français rien que pour mon palais. Elle m'aidait à servir mes clients. Ils l'applaudissaient, babafiés par cette fraichquie blanche qui avait tant d'amitié pour les noirs. Le tirailleur Bassonga regardait ses jambes. « On se croirait en Afrique ! disait-il en grattant *croc-croc* mes casseroles où le riz collait. Te voilà devenue une vraie Africaine, Flora-Flore ! Félicitations, ma chère ! »

Un jour, les négresses se mirent en queue leu leu et vinrent me présenter leurs vœux de bonheur. « Bravo, Ève-Marie, me dit M'am Maryam, tu as bien fait d'accueillir la maîtresse de ton mari. Dieu t'a apporté la lumière du salut. » M'am Mado se cura les dents : « Je savais qu'on pouvait compter sur toi ! » Elles installèrent leurs gros derrières sur des chaises et chantèrent les louanges de la polygamie en des termes si dithyrambiques d'idioties et de banalités qu'à la fin nous éclatâmes de rire.

— Maintenant, il faut que Pléthore retourne à la maison, suggérèrent-elles.

Pour elles, j'étais une femme trompée, qui acceptait sa rivale et vivait cette situation avec hardiesse. Par cette attitude saugrenue, je réintégrais à leurs yeux une respectabilité que mes premières réactions à l'infidélité de Pléthore m'avaient fait perdre.

Je les écoutais et hochais la tête. En moi-même je m'interrogeais. Était-ce perdre son âme d'Africaine que d'aspirer à l'amour total ? J'ignorais comment leur expliquer ce qui se passait entre Flora-Flore et moi, ces lumières inouïes, ces vertiges d'amitié, ces éclats de fusion qui se tissaient entre nous, semblables à des rayons bleus du pôle Nord, n'avait rien à voir avec Pléthore.

Cet après-midi-là le ciel éternuait et créait une obscurité prématurée et envahissante. Flora-Flore avait cuisiné un gâteau aux noisettes. Elle devait avoir la tête ailleurs car les noisettes s'effondrèrent au fond et, quand elle voulut le démouler, le gâteau se cassa.

– Qu'est-ce que tu veux qu'on fasse avec ça ? me demanda-t-elle, chagrinée.

– C'est fait pour être mangé.

Je préparai un thé que nous bûmes en l'accompagnant du gâteau émietté. Je m'attendais à ce qu'elle me parle de son Jean-Pierre Pierre ou de Mlle Personne, mais non, c'est Noël qui l'intéressait :

– Si tu voyais la vitrine des Galeries Lafayette, Ève-Marie ! C'est *La Belle au bois dormant*, fabriquée avec rien que du pain. C'est vraiment, vraiment très joli. Tu manges ton petit déjeuner et ce sont les cheveux de *La Belle au bois dormant* !

Puis nous regardâmes des magazines de mode, c'était magnifique. Je n'avais pas de regret parce que les robes étaient si minuscules que je n'aurais jamais pu entrer dedans. Le téléphone sonna. Flora-Flore soupira et referma son magazine d'un geste brusque. Elle me regarda de ses yeux gentils tandis que j'allais décrocher : c'était Pléthore. Mes mains se crispèrent sur le combiné.

– Bonjour chérie. *(Silence.)* Tu vas bien, mon amour ? *(Grand silence.)* Je suis en rase campagne. *(Bruit de voiture.)* Ici, c'est encore le printemps. C'est très très vert et le soleil fait étinceler l'ardoise des toits. *(Des motos passent en pétaradant.)* Il y a des champs de fleurs partout et des chèvres avec d'énormes cornes éparpillées sur de vastes étendues. *(Klaxon de voiture !)* J'ai voulu partager ce moment avec toi. *(Klaxon !)*

Je lui raccrochai au nez. Aussitôt mes paupières se gonflèrent et des larmes papillonnèrent à mes joues. Je suffoquai et courus ouvrir la fenêtre. Pléthore mentait. Il était dans une cabine téléphonique à Paris et ce mensonge était autant de souches de ronce qu'il enfonçait dans mon cœur. Devant la glace j'observai mon image. Le vent frais échouait sur le radiateur et les arbres dénudés qui se balançaient avaient l'air de vieilles femmes décharnées, dansantes et applaudissantes. « T'es des nôtres ! » chantonnaient-elles. Une musique imaginaire résonna dans ma tête : j'enlevai ma robe et je me mis à danser à travers la maison, nue. Dehors, la pluie continuait à tomber symphoniquement, m'inspirant des désirs exaltés.

— Arrête ! cria soudain Flora-Flore en donnant des coups de pied dans la porte. Tu vas finir par devenir folle, et moi aussi !

D'autorité, elle m'obligea à m'asseoir et recouvrit mes épaules d'un pagne. Des voix d'hommes en colère résonnaient quelque part. A l'extérieur il pleuvait toujours et, de mes yeux, tombaient des gouttelettes de larmes qui s'écrasaient sur mes mains. J'avais la gorge sèche et mes pensées s'embrouillaient. Une peur inexpliquée m'envahit et je lui parlai des mensonges de Pléthore.

– Peut-être bien que c'est lui qui a tué Mlle Personne, dis-je.

Elle m'interrompit par ses hurlements de rire :

– Arrête ! Tu vas me faire mourir !

Je regrettai de lui avoir dévoilé mes angoisses. Plus tard je repenserais à cette phrase : « Tu vas me faire mourir ! » En un sens, elle avait raison, puisque cela arrivera. Elle ramassa un peigne et brossa ma tignasse jusqu'à ce qu'elle devienne éclatante. Puis elle me serra dans ses bras. Je sentis ses os pointus et ses cheveux semblables à des épis de maïs près de mon visage.

– T'as de la chance, Ève-Marie, dit-elle. Pléthore t'aime et ce qu'il ne peut te donner, il te l'offre en rêve !

Mais des rêves, j'en avais ma claque !

Je pris des raccourcis tant j'avais un monde dans mon crâne, rempli de galets d'amour, d'arabesques en sueur, de rires érotiques, de mordillements d'oreilles à jouir entre deux portes. J'accélérai la cadence et mon cœur soustrayait la distance qui me séparait de mes tendres vibrations. Autour de moi, des commères écartaient les rideaux puis les refermaient comme un soleil noir. J'évitai soigneusement de croiser les négresses tapoteuses d'épaules et parloteuses dynamiques capables de déjouer les mille pièges à perdre un ménage.

J'entrai à l'épicerie de Michel et fis sensation. Quelque part un chat miaula, son maître venait de lui marcher sur la queue. Dans le magasin, les ménagères blanches bavardaient. Tout en servant sa clientèle, Michel conchiait les nègres, vomissait les Arabes et brûlait les juifs. Ses clientes hochaient leurs crânes chevelus. A le croire, on devait bombarder les avions qui n'avaient qu'un but : créer des problèmes entre les diverses communautés en permettant aux uns et aux autres de quitter leur pays. « Qu'y a-t-il à aller aux Amériques emmerder les Indiens, hein ? Qu'est-ce qu'on a à vouloir évangéliser les nègres, hein ? S'ils veulent être des cannibales, on n'a qu'à les laisser se bouffer entre eux ! » Puis, comme s'il venait de s'apercevoir de ma présence, il se pencha sur son comptoir.

— Tu veux une pomme, ma petite Ève-Marie ?

Je détaillai son crâne chauve, son front protubérant, ses sourcils touffus et son ventre débordant. Je le regardai droit dans les yeux et murmurai :

— Non, ton sexe. Je veux ton sexe.

— Tu es sûre que...

Il s'éloigna à petits pas précipités, comme si un tocsin venait d'annoncer une catastrophe. Agité, il servit des tomates à une vieille avec un nylon sur la tête. Un paquet de café se fracassa sur le sol et s'éventra. « Excusez-moi », dit-il. Il se précipita avec un balai : « Excusez-moi, mais il y a de quoi devenir fou ! »

Les clientes me regardèrent comme si j'étais une bizarrerie. Mon cœur battit et je sentis des fourmillements dans mes jambes. « Elles vont me mésestimer », me dis-je, soucieuse soudain de ma réputation. Je me mis à développer des théories sur la répartition des richesses dans le monde, entre riches et pauvres, noirs et blancs, à faire diversion. Elles n'en furent pas dupes. Elles s'éclipsèrent et leur mépris m'enferra l'estomac.

Dès que nous fûmes seuls, les lèvres de Michel s'enflèrent et il ferma précipitamment son magasin. Sous la pression pragmatique de l'excitation, il me saisit brusquement. Je ne réagis pas et le laissai me régresser. Il me pencha sur un lavabo et releva mes jupes. L'eau ne cessait de goutter d'un robinet – *tac-tac*. Il plia mes jambes et me pénétra. Je l'entendis grogner et sentis ses poils le long de mes fesses. Du lointain me parvint la voix d'Aretha Franklin : « *Do the right thing man, do the right thing woman.* »

J'étais coupée en deux, tourmentée par des sensations contradictoires. Plaisir et dégoût se disputaient des amas de ma personne. Quand tout fut terminé sans qu'un seul mouvement de tendresse passât dans ses gestes, alors seulement il me prit dans ses bras et m'embrassa.

– T'as aimé ?

Amen !

Cette nuit-là je pensai à Pléthore et entrai en poésie : je lus un livre de passions et de désirs brûlants ; à trois heures du matin je déclamai Verlaine, Baudelaire et ces poèmes m'entraînèrent dans des abîmes de volupté. Puis je m'endormis en versant des larmes de feu sur des amours impossibles.

J'irradiais au sommet du mont Cameroun où rougeoyaient des cases de cristal. Des palmiers géants sonnaient des fêtes amoureuses à ma gloire de reine. Des cortèges de jeunes filles aux seins ronds, aux langues coquines, toutes vêtues d'oriflammes chantaient et me lançaient des pétales de roses. Je tournoyais sur moi-même, dans une rumeur de perles et de voiles orphéoniques.

Un grattement quelque part et je m'extirpai de mon sommeil. Il faisait grand jour. J'étais trempée de sueur. Ma robe de nuit confectionnée dans une vieille couverture collait à ma peau. J'ouvris la porte et trouvai un petit paquet : des graines à planter. J'entendis des bruits de voix provenant de chez Flora-Flore et des gémissements. C'était affreux à écouter.

Heureusement le téléphone sonna et j'allai répondre.

– C'est moi, Pléthore. Je te téléphone d'un bateau-mouche sur la Méditerranée. Le sable est rose et la mer d'un or enluminé comme un récit biblique. Je suis entouré de cris d'oiseaux de mer et de croassements de corneilles amoureuses. Je voulais partager cet instant avec toi... Allô, allô, tu m'entends ? Je t'ai laissé une grande plante verte sur le balcon...

Le sachet de graines sur le palier me revint à l'esprit. Je raccrochai et allai à la fenêtre. Pléthore était dans la cabine d'en face. Il frappait si violemment la vitre que j'entendis un bruit de verre qui se brisait. Il se retourna et je remarquai qu'il avait rapetissé malgré les trombes d'eau de ces derniers temps.

La poignée de ma porte tourna bruyamment. « Qui est là ? » demandai-je, pétrie de peur. J'attrapai un balai, convaincue qu'il s'agissait du meurtrier de Mlle Personne qui revenait me trouer l'utérus, parce que ces gens-là revenaient toujours sur les lieux de leur crime, du moins me l'avait-on affirmé. C'est alors que Flora-Flore entra, frénétique, et mon arme tomba de mes mains : sa robe était déchirée ; un filet de sang dégoulinait de ses lèvres ; ses yeux étaient boursouflés.

– Seigneur ! criai-je.

Tel un volatile, je me précipitai sur elle et la pris sous mes ailes. « Un de ces jours, il finira par te tuer », lui dis-je. Je l'entraînai dans la salle de bains. Pendant que je désinfectais ses blessures elle pleurnichait : « C'est de ma faute... Le col de sa chemise était mal repassé ! »

Je lui fis enfiler une robe décente et pensai que les fantômes de mes ancêtres auraient dû se réjouir : j'avais de la chance. Pléthore était un menteur, un assassin, mais il n'avait jamais porté la main sur moi. Je préparai un thé, allumai la vieille cheminée et il se produisit un doux sifflement. Au milieu des flammes qui crépitaient, un cafard courut en tous sens, paniqué. Je pris une baguette et l'aidai à s'en sortir.

– Tu vois, dis-je à Flora-Flore en lui montrant l'animal qui s'enfuyait, je n'aime pas les cafards. Mais, par pitié, je ne voulais pas qu'il connaisse une mort atroce.

Elle déposa sa tasse de thé sur le guéridon,

serra ses mains si fortement que ses phalanges devinrent blanches comme du papier mâché. Je compris qu'elle avait une grande nouvelle à m'annoncer.

– Je l'aime.

– C'est pas une raison pour te laisser assassiner, dis-je. T'as qu'à partir !

– Si je m'enfuis, il va me retrouver et me tuer.

– Comme il a tué Mlle Personne ? demandai-je. Tu ferais mieux de t'en débarrasser avant que...

Elle éclata d'un rire grinçant et m'examina comme si j'étais un peu fêlée : « Jean-Pierre Pierre ne ferait pas de mal à une mouche ! » Elle posa sa tête sur mon épaule de manière inattendue. Je fis comme si de rien n'était et lui parlai de Pléthore et de mes perturbations de sommeil. Je lui avouai que je pensais sans cesse à ses odeurs, à ses hanches obscènes, à sa langue coquine.

– Malgré mes sentiments, conclus-je, je me laisse pas marcher sur les pieds. Du tout, du tout !

Je m'aperçus qu'elle sommeillait. Je la portai

dans mon lit. Elle était aussi légère qu'un enfant. Je la mis dans mes draps, la bordai serré, m'agenouillai devant sa poitrine qui envoyait l'air par intervalles réguliers.

— Faut que j'aille rendre visite au Seigneur, lui dis-je. Il va nous aider.

Amen.

Dès qu'il me vit, père Simon sourit et ses doigts cessèrent d'égrener son chapelet. Sa grosse figure boursouflée de nourriture suait abondamment. Sa soutane transpirait aussi et j'eus chaud malgré la pluie battante. Sans un mot il passa devant une gigantesque bibliothèque et se dirigea vers le confessionnal.

Je le suivis et restai silencieuse face à la grille qui nous séparait. Des dizaines de bougies lançaient des lumières fluorescentes sous une Vierge miséricordieuse. A ma gauche, un Christ éborgné du cœur me contemplait. Une fresque représentant des blancs baignait dans un marigot de lumière et je me demandais où se cachait l'universalité de la foi. Ma tête virevoltait et ce n'était pas facile. Derrière sa cage, père Simon attendait que je me confesse. Je n'arrivais pas à lâcher le *Pardonnez-moi, mon père, car j'ai péché. J'ai envie de tuer un homme.* Des minutes passèrent. Il se mit à taper d'un doigt la tablette du confessionnal. Il ne volait pas au plus haut des cieux mais s'impatientait. J'en fus si horrifiée que je lançai :

– J'ai forniqué, mon père !

Il eut un hoquet et je lâchai un pet silencieux. L'odeur blasphématoire le heurta et son nez frémit.

– Moi aussi, dit-il.

J'entendis sonner les cloches de l'église, puis des chants religieux s'élevèrent, beaux comme un soleil d'hiver.

– L'archevêque m'avait bien averti : « Fais attention, Simon. Avec tes yeux bleus, tes cheveux soleil, tu seras la proie des serpents qui habitent le ventre des femmes ! »

Il parlait tel un chien qui aboie à la mort, d'une voix sourde, comme brûlée par l'agnelle. C'était emmerdant et la seule façon d'en réchapper était de retourner à Belleville, mettre mes plans à exécution. Mais père Simon n'avait pas terminé.

— C'est une turbulence extrême, mon enfant... dit-il, terrifié. Une turbulence mortelle
provoquée par les démons de la chair !

Puis il se lança dans une monomanie verbale
qui démontrait sa maîtrise lexicale parfaite :
« Au moins tu as pu te défouler, ma fille... Alors
qu'avec lui... » Il désigna le Christ éborgné du
cœur et je n'eus plus envie de lui parler réellement de mes angoisses, de Pléthore, de Flora-
Flore et de Jean-Pierre Pierre que je voulais voir
mourir.

Je me dirigeai vers la porte, me retournai et
le regardai de nouveau : « Il est fou ! » Je me
demandai ce qui était le plus difficile à vivre,
la vie ou la mort ?

Je quittai l'église au moment où la ligne verte
à l'horizon cédait la place aux lumières chimi-
ques pétrolifères. Des voitures couraient, toni-
truantes, comme à la poursuite de quelques
mirages venus tromper les hommes sur leurs
croyances et les conduire plus vite vers la mort.
Partout les douze tribus dans la dispersion se
méprisaient, s'ignoraient, et le vent des besoins

alimentaires les agitait, les ballottait, les poussait d'un côté puis de l'autre. Ils relevaient leurs cols, attachaient solidement leurs foulards bariolés autour de leur gorge. Puis ils s'engouffraient dans les métros et les transports en commun.

Je marchais vite et chacun de mes pas faisait croître mon désarroi. Mes pensées étaient poisseuses telles les lumières des réverbères : « Si Pléthore revient à la maison, ne va-t-il pas recommencer ? », et « Va-t-il se douter que je l'ai moi aussi trompé ? », et encore : « Comment faire pour libérer Flora-Flore de ce monstre ? » De temps à autre m'apparaissait mon ombre, qui disparaissait aussitôt dans le brouillard. Des feuilles mortes se détachaient d'arbres invisibles et me précédaient. Au loin des bateaux-mouches vendaient les bonheurs d'être à Paris à petits prix.

— Qu'as-tu, petite femme d'Afrique ? me demanda une voix.

Je levai la tête et vis un Africain grand, osseux, noir comme minuit, qui m'observait à travers ses cils.

— Je déteste l'approche des fêtes, dis-je en reniflant.

— Moi aussi, dit-il. Voilà pourquoi je vais de ce pas trouver un flic qui acceptera de me jeter dans un charter et de m'expédier vers l'Afrique.

Puis il se mit à marcher en criant : « Immigré en situation irrégulière, cherche flic bien attentionné pour le rapatrier gratuitement en Afrique ! » Je fus si interloquée par sa bravoure que je le suivis comme un chasseur qui poursuit son gibier dans la jungle. Plus loin, deux flics aux doigts grattouilleurs reniflaient les passants, soupçonneux. Mon cœur vrilla dans ma poitrine.

— Foutons le camp ! dis-je. Ils vont te jeter en prison !

— Je ne demande que ça, dit-il. Qu'ils m'embarquent dans un charter, à l'œil. Je passerai des vacances au Sénégal.

Le voilà bondissant, glapissant, huant, vociférant des métaphores contre l'exil castrateur, contre les queues devant les préfectures, contre les manifestations des sans-papiers qui l'empêchaient de dormir, contre le mépris des uns, la bonté séismique des autres : « Assez à la mendicité ! Ouste la déportation ! Je ne suis pas un vermisseau ! », et les gens se retournaient pour le regarder, et la lumière des réverbères mettait en exergue ses pensées biscornues qui s'en allaient se perdre sur les vitres glacées des immeubles. Les policiers le virent et bandèrent mou.

– Je suis un homme courageux, vu ? menaça-t-il.

Les flics reculèrent, désarmés.

– Ben, ça va pas, non ? demanda l'un d'eux, inquiet.

– Bon Dieu de merde de mes pieds ! explosa le nègre. Je viens me constituer prisonnier ! Je n'ai pas mes papiers !

– Ne faites pas attention à mon mari, intervins-je en leur faisant un clin d'œil. Il a un peu bu !

Je tirai le nègre par son boubou : « Viens, mon chéri ! » Le nègre hésita une seconde et me suivit tandis que les flics se transformaient en deux gigantesques yeux qui ne cillaient pas. Dès que nous nous fûmes suffisamment éloignés, Océan – c'est ainsi qu'il s'appelait – éclata de rire :

– C'était une blague, ma chère ! J'ai de temps à autre besoin de grands frissons.

Pendant que, dans les bonnes maisons, on réfléchissait aux dindes à découper, aux cadeaux à distribuer, je l'invitai chez moi afin qu'il partage des morceaux épars de ma vie, des lambeaux de mes rêves, toute dévouée que j'étais à un destin que je maîtrisais mal.

Flora-Flore m'accueillit avec un sourire où s'entremêlaient frustration et espoir tremblant :

– Où étais-tu ? Et le téléphone ça existe, oui ou non ?

Puis, inclinant la tête de côté comme si elle voulait vérifier quelque chose :

– Qui est-ce ?

– Océan, dis-je.

D'un même mouvement, nous regardâmes Océan : ses lèvres étaient pulpeuses mais sèches comme si elles exigeaient une humidification. Son menton était parsemé d'écumes de poils noirs, oubliés par le rasoir des jours durant. Ses doigts étaient très fins, des doigts d'artiste. Les blancs de ses yeux étaient encore plus blancs du fait de la noirceur de sa peau.

— Et vous ? demanda-t-il à Flora-Flore.

— Moi quoi ? répondit-elle, désorientée.

— Quel est votre nom, qu'est-ce que vous faites dans la vie ?

— Seigneur, m'écriai-je. Quelle impolitesse ! J'aurais dû vous présenter. Et vous dire de vous asseoir et vous proposer une boisson !

Je me précipitai dans la cuisine, allumai le gaz et mis l'eau à bouillir. Quand je pénétrai de nouveau dans le salon avec ma théière, Flora-Flore et Océan étaient assis côte à côte et s'amitiaient. A la façon dont elle l'observait, je sus qu'elle caressait l'espoir qu'il la protége-rait contre Jean-Pierre Pierre. Je m'accroupis devant la cheminée, tisonnai et la flamme se raviva.

— Qu'est-ce que tu fais exactement dans la vie, Océan ? demanda Flora-Flore.

— Je vis, répondit celui-ci. Et je suis libre de tout engagement.

Flora-Flore resta quelques secondes le regard vague, à suivre sans doute une foule d'insectes noirs qui dansaient autour du plafonnier. Puis elle dit d'une voix rauque de vieillarde :

— C'est tout un programme, vivre !

Elle se coupa un ongle avec ses dents, le cracha et ajouta :

— C'est déjà énorme !

J'avais envie de toucher son visage, d'entourer ses épaules et de l'embrasser. Au lieu de cela, je mis la table et servis le dîner. Nous mangeâmes un canard à la sauce claire et Océan sortit une flûte de sa poche. Il la porta à ses lèvres et joua un air tendre et velouté. J'avais les mains croisées derrière ma tête et souriais en l'écoutant. Dans la lumière rosée, je voyais nos ombres se projeter sur le mur. Je n'analysais pas mes émotions car j'étais assise dans mon fauteuil Louis XVI. Le vent qui secouait la fenêtre et la mélodie qu'arrachait Océan de sa flûte enveloppaient l'appartement et ses habitants dans une seule et même respiration.

— Oh, oh ! dit Flora-Flore en regardant l'horloge. Il faut que je sois là quand il rentrera.

Elle courut à moitié, puis marcha jusqu'à la porte, effrayée comme si un méchant génie la poursuivait. Je restai seule avec Océan et une émotion me submergea. Je pensai qu'il devait être agréable d'avoir un mari riche. Je fermai les yeux et me vis chevauchant sous le soleil à côté d'un homme vêtu de flanelle et d'immenses bottes en cuir. Je nous aperçus mangeant des crêpes sur une terrasse fleurie et nageant rieurs dans une mer bleue.

— Toi aussi ? me demanda Océan, en rajustant sa flûte dans un boîtier qu'il enfonça dans sa veste.

— Moi, quoi ?

Il éclata de rire :

— Il n'y a pas de honte à être homosexuelle, tu sais, cocotte !

Mes yeux se révulsèrent. De la bave coula aux coins de ma bouche. Dans ma vie j'avais commis bien des bassesses, des lâchetés et des actes susceptibles d'envoyer une âme en enfer. Mais ce qu'il évoquait et remuait était à vous redresser les poils comme les arbres d'une forêt.

— Tu veux dire que... que... bégayai-je.

— Les nègres pensent que je ne suis qu'un malade !

Je devins une grosse idiote tant je me sentis perdue. Ma bouche battit sans que je lui en aie donné le droit.

– Il y avait un monsieur comme ça, dans mon village, dis-je.

– Tu vois bien qu'il y a des homosexuels noirs ! dit-il en glapissant.

Puis il fit quelques pas, sortit sa flûte, exécuta des notes, se dandina et exécuta des arpèges.

– Oui, dis-je dans un souffle. On l'a lynché !

Océan ne cessa pas de jouer et sa mélodie allait de la tendresse à la moquerie, du ton de plus en plus strident au doux. Dans un état second je me mis à lui décrire les jambes de femmes : des grosses, des longues, des effilées, des petites, des roses, des blanches, des noires, des métissées, qu'offrait Paris, capitale cosmopolite universellement reconnue. Je me fis aguichante, alléchante, passai ma grosse langue coquine sur mes lèvres :

– Ne me dis pas que ça te manque pas !

Il rangea brusquement sa flûte et me toisa :

– Qu'est-ce que tu veux que j'en fasse ?

Le dégoût déforma ses lèvres et je faillis vomir. J'eus le réflexe de m'agenouiller devant la cheminée et récitai un *Ave Maria* pour éviter

113

de lui poser des questions indiscrètes sur sa sexualité.

— Arrête, cria Océan. Arrête ou je crie ! M'as-tu réellement regardé ? Sais-tu qui je suis ? Tu te crois généreuse parce que tu m'invites chez toi mais, en réalité, tu es bien trop angoissée, trop égocentrique pour t'intéresser aux autres.

Je frémis tant sa critique me parut irréfutable. Il se mit à marcher de long en large et tout en lui me sembla de travers, faux comme une transparence en Technicolor. Je me souvins soudain de sa poignée de main molle, de sa démarche lascive et de cette façon de s'étirer un peu comme une chatte. « Il n'est pas normal », me dis-je. Il gloussa déraisonnablement, commença une phrase par le Seigneur et ne jugea pas nécessaire d'aller jusqu'au bout :

— Merci de ton hospitalité.

— Reste, dis-je, et je ne compris pas moi-même ce qui me prit.

Peut-être parce qu'il était une fois une vieille négresse sans enfant et qui, sentant sa mort prochaine, cherchait à s'accrocher à quelque chose, mais c'était trop banal.

J'aimerais pouvoir vous dire que j'étais une héroïne qui courait à rebours pour recueillir les moineaux et leur façonner des peaux de lion, mais je serais une menteuse.

A moins que je ne vous fasse croire qu'en appuyant cent cinquante mille trois cent soixante fois sur vos tempes, jaillira de vos oreilles un lapin aux yeux bleu pâle, ce serait trop idiot.

En réalité, ce n'était qu'une spontanéité où l'esprit s'encanaillait et dérapait dans des directions imprévues.

– De toute façon, je ne sais où aller, dit Océan. Mon ami et moi nous sommes séparés.

Son histoire ne m'intéressait pas. L'amour entre deux hommes je n'y croyais pas, quoiqu'il tentât de décrire le halo de beauté dans lequel baignait Alexandre la première fois qu'il le vit. Lorsqu'il m'affirma qu'il aurait désiré avoir un bébé de lui, je l'interrompis par des hurlements de rire. Il se mordit les lèvres et regretta de m'en avoir parlé.

– Excuse-moi, dis-je, mais l'idée du bébé était trop drôle. Je me demande où tu l'aurais porté. Dans le dos peut-être ?

Ses yeux se plissèrent et il rit en battant des pieds comme un chien épileptique. « Chacun ses infirmités », dit-il sans s'arrêter de rire. Puis je m'aperçus qu'il sanglotait. Je m'approchai, lui caressai le dos. Sous le léger voile, mes seins se soulevaient et s'abaissaient ; trois bourrelets telles des barres sur mon ventre s'agitaient et mon cœur s'emballait comme un cheval fou. Je me penchai et l'embrassai. Il ne bougea pas et je m'enhardis. Mes mains frétillèrent comme une feuille dans le vent, caressèrent sa nuque, firent voler en éclats les boutons de sa chemise. Je haletai, posai ses paumes d'autorité sur ma poitrine, mais il les laissa retomber le long de son corps. J'avais l'impression qu'un feu s'était allumé depuis mes orteils, se propageait le long de ma colonne vertébrale et remontait dans mon cerveau. J'enfonçai mes hanches épanouies entre ses jambes, m'y frottai. Il me saisit les poignets, me repoussa violemment. Je m'étalai de tout mon long sur le canapé.

– Qui es-tu ? demandai-je idiotement.

– Océan.

– D'accord, Océan. Je voulais savoir, Océan : as-tu été envoyé par le diable ou par

Dieu ? Parce qu'en ce moment je ne fréquente ni l'un ni l'autre !

— J'en sais rien, moi ! Tout ce que je sais, c'est que je veux dormir.

Aveuglée par la rage, je lui montrai la chambre où avait dormi Maman. « L'Occident nous rend dingues ! » me dis-je en moi-même. Je défis mon lit et je me souvins d'un article où on démontrait qu'en France il y avait plus de noirs en asile psychiatrique qu'en prison. Les draps étaient froids, et j'eus envie de toucher la peau douce de Pléthore. « C'est bête, me dis-je en souriant. Il faut que je lui pardonne. » Au même moment le téléphone sonna, je décrochai.

— Ève-Marie ? C'est moi. C'est Pléthore. Dans quelques minutes, mon amour, je serai en train de me balancer au bout d'une corde enfoncée dans les chairs rosées de mon cou.

— Arrête de dire des conneries, vu ? dis-je, folle de rage.

— Je suis dans une cave. Je t'aime, Ève-Marie.

— Où ?

Il avait raccroché. Sans prendre le temps d'une respiration, je m'élançai dans la cave. Il

117

y faisait sombre et humide. Pléthore ? Pléthore, où es-tu ? Je cherchai longtemps dans les réserves pour voir s'il s'était pendu. Le souvenir du cadavre de Mlle Personne me rattrapa. Je claquai des dents, prise de frissons. Je remontai et réveillai Océan. D'abord il ne comprit rien à ce que je racontais, ensuite il articula :

— Tu veux dire qu'il s'est suicidé ?

A ma réponse positive, il fronça les sourcils et commenta :

— C'est mauvais pour toi. C'est jamais bon quand quelqu'un crève de notre faute.

Je le pressentais et il me le confirma. Ensemble nous descendîmes à la cave et fouillâmes tous les recoins où j'étais déjà passée. Je continuai à crier : « Pléthore, où te caches-tu ? » Il n'y avait personne. J'ameutai l'immeuble. Mes voisins, après avoir grogné qu'on les dérangeait, se joignirent à nous. Nous fîmes le tour des caves des immeubles voisins. Des blattes et des cafards s'enfuyaient devant nous. Des souris grosses comme mon poing rongeaient des cartons en couinant. Des toiles d'araignées s'accrochaient à nos cheveux et je n'arrêtais pas de dire : « Pléthore, où es-tu, mon amour ? » Une

araignée se posa sur ma main et je l'écrasai.
M. Félix Éboué égrenait son chapelet : « C'est
un homme, pas un diable, Seigneur ! Épargne-
le ! » Puis sans qu'on sache quelle mouche
l'avait piqué, il tapa des pieds, ses yeux sortirent
de leurs orbites et il secoua son crâne comme
un grelot :

– Elle est partie, alléluia !

– Qui est parti ? demandâmes-nous, ahuris.

– Mlle Personne ! Elle était là.

Et il nous montra un réduit.

J'étais si préoccupée par Pléthore que ces
paroles n'arrivèrent pas lucidement à mon
esprit. Et de manière tout à fait inattendue,
nous nous signâmes et continuâmes nos recherches. Il faisait de plus en plus froid et les caves
exhalaient des odeurs de moisi. Mes voisins
étaient épuisés, ils bâillèrent en concert :

– Dans l'état actuel des choses, Ève-Marie,
tu ferais mieux d'alerter la police.

Ils s'en allèrent retrouver leurs draps : « Voilà
ce que cela donne de se marier sans réfléchir ! »
Ils se serrèrent les uns contre les autres : « Ces
mariages mixtes ne marchent jamais ! » Ils ron-
flèrent en paix, convaincus qu'on paye toujours

trop cher à vouloir chercher plus loin que le bout de son nez.

J'allai au commissariat et deux gros flics qui dormaient derrière leur guichet me reçurent en bâillant et en s'étirant. « Ce sont des choses qui arrivent », me dirent-ils, je-m'en-foutistes. L'un, avec des taches de rousseur sur les bras, arracha à une machine sa housse et tapa ma déposition tandis que l'autre, debout derrière moi, me questionnait sur Pléthore : « Qu'est-ce qu'il faisait ? Depuis quand étions-nous mariés ? Pourquoi nous étions-nous séparés ? » Je grelottais de froid, mais, surtout, je sentais dans la voix de celui qui m'interrogeait une désapprobation nauséeuse. Celui qui m'interrogeait recouvrit mes épaules d'une vieille couverture et saisit mes seins à pleines mains, l'air de rien. « C'est pas de votre faute, me dit-il. Le schéma psychologique de votre mari ne laisse rien présager de bon. On n'épouse pas une pute noire sans un carreau en moins ! »

Ils éclatèrent de rire et je n'eus plus envie de voir fixés sur moi leurs vilains yeux tapis dans la graisse de leurs visages : « On fait des recherches, me dirent-ils. On vous tient au courant. »

120

Dans la rue, je marchais comme une folle. Le remords me tenaillait et j'avais envie de me jeter sous un camion : « C'est de ma faute si Pléthore est mort ! » Je vis passer une jeune fille et, avec l'expression totale du désespoir, je me précipitai sur elle.

– Mademoiselle, dis-je, votre robe est déchirée.

Et je lui montrai un endroit bien déterminé à l'encoignure des fesses, difficile à voir. Elle attrapa sa jupe, se tordit à gauche, puis à droite en se dégirafant le cou. « Où ? Où ? » demanda-t-elle, inquiète. J'insistai : « Là, là », dis-je, heureuse de briser sa sérénité. Elle rétablit sa robe, me foudroya du regard, et s'enfuit, sans mot. « Salope ! » hurlai-je. Elle hâta le pas, rit sous cape, courant vers ses joies sans s'encombrer des mauvaises rencontres qui auraient pu ternir le moelleux de sa chambrette d'heureuse dépucelée.

Je me retrouvai sur mon palier sans avoir réussi à mettre de l'ordre dans mon esprit perturbé et je crus voir un feu de brousse s'allumer depuis le plafond, crépiter le long des murs et envahir le couloir.

— Je reviens du pôle Nord, me dit Pléthore. Oh là là ! Qu'est-ce qu'il y fait froid !

Une gifle jaillit de mes mains et atterrit sur ses joues blêmes.

— Retournes-y, fumier ! T'as failli me faire attraper une crise d'apoplexie.

Il me regarda comme une loque. La pluie avait aplati ses cheveux et l'eau dégoulinait en flaque le long de ses vêtements et s'étalait sur le plancher. J'ouvris la porte et la lui claquai au nez, *vlan !* Je l'entendis tambouriner et y donner des coups de pied : « Tu vois que tu ne peux pas vivre sans moi ! » J'enfilai un peignoir moelleux et réactivai la cheminée. « Tu vas le regretter ! » cria-t-il. Puis : « Heureux Ulysse qui voyageait pendant que Pénélope, ah ! » Je vis des lumières s'allumer derrière les fenêtres closes et des cheveux comme des branches de palmier se penchèrent dans la cour : « Pas de nouvel assassinat, vu ? menacèrent nos voisins. On a besoin de tranquillité, nous ! »

La bouilloire chuinta et je me préparai un thé. Je m'assis devant le feu. A l'extérieur, la pluie giclait sur les fenêtres, telle une passion longtemps retenue. Je restai un long moment sans bouger, la tête dans mes mains, silencieuse. « T'as pas de chance, Ève-Marie », me dis-je. Je pensai à ces années perdues à courir derrière des plaisirs figés qui scintillaient d'une étrange ambiguïté. Sans bruit, Océan vint s'asseoir à mes côtés. Dehors, le vent continuait sa furieuse sarabande. Il saisit ma main qui se contracta.

– Cesse d'être un immense chagrin, veux-tu ? me demanda-t-il.

Le pression de ses doigts fins se fit plus dense et, dans un réseau complexe, je sentis une tendresse infinie, se déverser en moi, lourde comme le miel. Elle envahissait mon cerveau, descendait dans mes reins et gagnait mes orteils. J'en éprouvais un plaisir intense de toutes mes chairs, de toute mon âme, comme une terre assoiffée qu'on arrose. Je ne disais rien, mais pensais que si ces mains pouvaient ne jamais quitter les miennes !

– Ton Pléthore, c'est un original, comme mon Alexandre, dit Océan. Un vrai hétéro mais qui aime les homos, très drôle, n'est-ce pas ?

– Je l'aime, dis-je.

Ses traits se contractèrent. Un oiseau affolé

s'abattit contre la vitre et il me parla d'Alexandre. D'abord je me demandai comment un hétérosexuel père de famille pouvait aimer un homosexuel. Ensuite sa liberté de ton me surprit et, très vite, nous parlâmes des hommes comme deux femmes, si bien qu'à la fin j'oubliai qu'il était un « malade », un « pervers », et un « obsédé sexuel dangereux ».

— Et sa femme ? demandai-je. Elle sait que toi et son mari...

— Elle doit s'en douter.

Il me parla des week-ends qu'ils passaient ensemble à la campagne, des parties d'échecs qu'ils faisaient jusqu'à trois heures du matin, et de leurs dîners-fou rire au restaurant.

— Que veut le peuple, dans ce cas ? demandai-je.

— La perfection, tu comprends ?

Je comprenais et caressais ces souvenirs avec tendresse, presque. Aujourd'hui encore je me demande comment il avait procédé pour réussir à manier verbalement des choses si explosives, à gommer mes impératifs moraux et à me les rendre sympathiques.

Il se leva et s'éloigna vers le couloir sombre.

Je croisai mes mains sur ma poitrine et contemplai de longues minutes la flamme qui dansait. Puis j'allai faire la vaisselle, *amen* !

Les jours suivants sont difficiles à décrire, car il y a des situations de tension que l'on garde au fond de soi. Océan s'était installé chez moi. Le cadavre de Mlle Personne avait disparu. Qui l'avait fait disparaître ? La police ? J'interrogeais les habitants de l'immeuble où le corps était censé avoir été déposé. « Paraît qu'il y avait un cadavre dans votre cave », disais-je. Ils me regardaient comme une folle : « Quel cadavre ? On n'a rien vu, nous ! » Je n'insistais pas, de crainte de m'attirer des ennuis. J'étais convaincue que l'assassin avait déplacé le cadavre, mais qui était-ce ? Mon enquête piétinait, mes angoisses m'étouffaient. Faites machine arrière, et imaginez-vous à ma place : une négresse qui habitait un appartement et savait pertinemment qu'un assassin l'espionnait peut-être, qu'elle pouvait être sa prochaine victime ; une négresse mariée à un blanc et cocufiée ; une négresse qui hébergeait chez elle un

125

nègre homosexuel et avait pour confidente la femme qui avait provoqué la dislocation de son couple. Aujourd'hui, les intellectuels noirs, avec leurs verbosités, parleraient de perversité occidentale – tandis que les blancs, eux, s'égosilleraient sur la polygamie, cette sauvagerie propre aux Africains qui se bouffent entre eux et rotent de plaisir.

Belleville ne tarda pas à clamer ses opinions, à consigner ses règles de cohabitation sur les marchés, dans les bars et même chez les putes de M. Trente pour Cent ! Vous voulez connaître leurs opinions ? Écoutez leurs pas grimper quatre à quatre mes escaliers pour venir s'empiffrer dans mon restaurant. Ceux de M'am Térésa, clopinants ; ceux, poussifs, de Mama Mado ; ceux de Yasmina, jouissifs, et des dizaines de pas encore qui escaladent *patapata-patapata* : « Ah, ce pays des blancs, ça vous rend dingue ! » Et voilà M'am Térésa qui déplie ses jambes percluses de rhumatismes. Elle se lève et c'est toute la sagesse de l'Afrique, ses griots et ses malandrins qui jaillissent en bouquets de sa bouche.

– Très chère Ève-Marie, dit-elle, nous voici

en ta chère présence, venues spécialement en confidence pour remettre l'ordre dans ton cerveau perturbé. Jusqu'à quand continueront tes imbécillités ?

– Quelles imbécillités ? m'étonnai-je.

– Quand vas-tu enfin divorcer d'un homme qui t'offre même pas des bijoux et te chantage ? demanda Mama Mado.

– Et qui t'exploite ! surenchérit le tirailleur Bassonga en grondant comme un chien méchant.

– Et que même mes cartes disent qu'il est décevant comme le soleil de France !

– Et qui te trompe ! conclut le docteur Sans Souci.

Et il gratta vigoureusement ses morpions : « Quel souvenir ! Quel souvenir ! » parce que c'était sa femme qui les lui avait transmis.

Flora-Flore exhiba ses ecchymoses. « C'est l'amour ! » clama-t-elle. Ses yeux roulèrent dans les étoiles. « On peut aimer un maquereau, une pute, une traînée. C'est l'égalité devant le cœur ! »

A ces mots, les cloches de Notre-Dame-de-La-Croix sonnèrent et la perruque blonde de

127

Mlle Babylisse se déplaça sur son front : « C'est quoi l'amour, très chère ? » La fourrure de lapin sur son dos se rebella : « Se faire tabasser et exploiter ? » Elle se pencha, lionnesque, vers Flora-Flore jusqu'à coller son nez contre le sien : « C'est de la faute des femmes comme toi que les hommes y se croient tout permis ! »

Flora-Flore se fit toute petite et on eût cru une gamine qui venait de se faire prendre la main dans un pot de confiture. Soudain elle eut un haut-le-corps, comme en proie à une forte répugnance.

— Tu veux dire que je sens mauvais ? demanda Babylisse, agressive.

— C'est pas de ma faute, moi, si t'as personne qui t'aime ! protesta-t-elle.

— Parce que toi...

Elle attrapa le pull de Flora-Flore en sifflant comme un serpent à sonnette. Des gens étalés un peu partout ricanaient et applaudissaient. Le tirailleur Bassonga écumait et tirait sur les bretelles rouges de son pantalon : « Il y a une éternité que j'ai pas vu de vrai combat de femmes ! » Il se précipita sur moi, excité comme une puce dans l'oreille d'un chien : « Ça me rappelle mon village ! Qu'est-ce que les femmes savaient se battre, oh, Seigneur ! » Sous l'effet d'une forte émotion, il comprimait sa poitrine, de la bave humidifiait ses lèvres et ses yeux jaillissaient de leurs orbites, rouges comme des crêtes de coq. Je fendis la foule, saisis Mlle Babylisse par le collet de son lapin et, le temps qu'une respiration atteigne les poumons, je l'envoyai échouer sur le canapé.

— Pas de bagarre chez moi, vu ?

— C'est elle qui m'a cherché combat ! dit-elle d'une voix chevrotante de vieille tante fatiguée.

Elle rajusta son lapin.

— T'aurais dû me laisser la corriger ! Après tout, elle a volé ton mari !

Puis elle entraîna un gros blanc, à l'air de braconnier, par le pantalon : « Viens, mon doudou ! » Le gros blanc rougissait et transpirait : « Vraiment coincés, ces *Whites* ! » Elle l'emmena aux toilettes.

Je préparai mes repas et, tandis que je me battais avec les casseroles, les nègres firent aller leurs langues. Ils dirent que j'étais lâche. Ils dirent que j'étais grosse, noire, c'est pour cela que je n'avais pas confiance en moi. Ils dirent que j'étais complexée, voilà pourquoi j'avais épousé un blanc pour me confiancer.

Mes hémorroïdes s'enflammèrent sous l'outrage. Je secouai la tête parce que mon ventre roussissait, et des dauphins chantaient dans ma tête, des poissons translucides naviguaient dans mon imaginaire. J'essuyai mes mains sur mon tablier graisseux et courus au salon :

— Je suis une épouse officielle, jusqu'à preuve du contraire.

Je me drapai dans la dignité et m'engonçai dans cette frange indéfinie qui rendait encore plus risible mon destin. J'avais quarante ans et des poussières, je ne pouvais lutter contre cette fatalité. J'étais grosse, mais l'expression « beauté de l'âme » m'avait jusque-là permis de supporter mes jambes qui se frottaient l'une contre l'autre lorsque je marchais, ou mes seins qui dégringolaient lorsque je descendais des escaliers.

Je dis mes aigreurs et un ange passa. Les nègres se grattouillèrent les oreilles en concert et s'aperçurent qu'ils s'ennuyaient. Ils se battirent comme ils purent contre les tic-tac de l'horloge.

« Comme ça, tu es du Cameroun, toi aussi ? » demandèrent-ils à Océan. Ils le reniflèrent : « Tu connais, toi, la combinaison du loto ? Et celle du tiercé quinté plus ? » Je repartis à la cuisine, craintive. J'avais peur que mon invité commette une gaffe qui eût pour effet de dévoiler son homosexualité. Tout en touillant et en écrasant des arachides, ou en découpant des tomates devant l'évier, je brouillais les chromosomes : « Océan est d'Ebolowa », et : « Il trouve que le loto est un jeu pour débiles ! »

Océan disait oui, d'accord, à tout ce que je disais, à la fois familier et distant comme un mythe. M. Rasayi, héritier de droit de l'Académie française, détendit l'atmosphère : « Oh, Seigneur, qu'est-ce qu'ils font comme fautes, ces blancs ! » Il passa ses mains dans ses cheveux : « Pas plus tard que ce matin j'ai entendu dire à la radio des "je vous ai emmené quelque chose", des "c'est de cela dont..." ». Il sortit de sa poche un journal froissé et, d'un crayon rouge, il entoura les fautes de syntaxe et de grammaire : « Et ils veulent qu'on s'intègre comme si eux-mêmes étaient des modèles d'intégration à leur propre culture ! » Les autres noirs s'en fichaient : les fautes de la langue française voletaient au-dessus de leurs préoccupations. Ils buvaient du Chivas et rêvaient de Jungle n° 5, d'As de pique et autres chevaux qui auraient la décence de les transformer en milliardaires. Mais quand Fofana, un Africain qui se prenait pour un révolutionnaire parce qu'il en avait adopté le désordre vestimentaire, prit la parole et dit : « Nous autres nègres sommes un peuple maudit ! Nous sommes prêts à vendre un frère à un blanc, pourvu que celui-ci nous promette du vent... », Océan bondit vers lui, les muscles saillants tel un animal nerveux.

— Et vous, mon frère qui donnez des leçons à tout le monde, qu'avez-vous fait pour notre communauté ?

— Moi ? demanda Fofana, offusqué.

Il regarda Océan avec mépris :

— J'ai toujours combattu auprès des frères... Je conscientise, moi !

Mama Mado, qui en avait assez de toutes ces disputes, proposa qu'on mange. Et me voilà transformée en Christ : j'écartais les bras et distribuais des maffés succulents où nageaient des morceaux de poulet. De mes doigts jaillissaient des crocodiles à la sauce meunière et du singe à l'étouffée. Les ventres s'emplissaient et les esprits se calmaient dans les touffeurs digestives. Océan m'aidait et servait avec des gestes d'une douceur et d'une délicatesse symptomatiques. Des Africains le regardaient agir et leur mépris sortait par vagues de leurs pores : « Tu as dit qu'il était ton cousin, c'est ça ? questionnaient-ils. Il est vraiment étrange ce gars-là ! »

Ils rejetèrent Océan parce qu'il avait des comportements défectueux pour un mâle et, par une étrange réversibilité, les femmes apprécièrent cette coquetterie. « Il faut que tu viennes manger à la maison un de ces jours, mon fils ! » lui proposa Mama Mado. Elle me fit un clin d'œil et me demanda : « Tu penses pas que t'es trop vieille pour de telles équipées ? »

Les nègres essuyèrent leur bouche : « C'est les démons de midi ! » Ils ricanèrent : « C'est la vieillesse qui lui monte au cerveau ! » Ils s'éloignèrent en criaillant telle une flopée d'oiseaux, éparpillant des excréments de mes vraies-fausses infidélités.

Tard dans l'après-midi Océan, Flora-Flore et

moi allâmes nous promener. Nous prîmes le métro jusqu'à Saint-Michel. Des clochards puant le vin cuvaient sur le trottoir et ronflaient. Des putes de luxe se disputaient des hommes d'affaires aux serviettes en cuir. Le vent soufflait et je vis par de grandes baies vitrées des secrétaires assises à leurs bureaux qui rangeaient des dossiers. Flora-Flore et Océan marchaient devant moi en se tenant la main. Ils chuchotaient et complicitaient. On eût dit que j'étais leur amie, mais à chacun de façon séparée. Flora-Flore riait aux remarques d'Océan, les cheveux rejetés en arrière. « Chouette alors ! » parce que les mythes que créait la télévision l'épataient. « Magnifique ! » ou « Magique ! » lorsqu'il lui commentait les gros titres des journaux.

Au carrefour de l'Odéon j'aperçus des noirs qui balayaient la rue. Quelle inutilité pour le monde, pensai-je, et j'eus honte de mes réflexions. Nous atterrîmes au jardin du Luxembourg. Les arbres étaient dépouillés de leurs feuilles et leurs carcasses dansaient dans le vent. Des enfants habillés comme des princes s'entrecoursaient en riant et j'eus un pincement au cœur. Nous prîmes place devant un jet d'eau. J'ôtai mes chaussures et laissai mes pieds nus pendre dans le bassin. Je regardai au loin : un vieillard émiettait du pain à un troupeau de volatiles. Deux jeunes rappeurs avec de la musique dans la tête swinguaient le bonheur sans lendemain. Soudain je vis la veste d'Océan sur les épaules de Flora-Flore. « Il n'est plus homo, me dis-je. Ils vont finir ensemble, ces deux-là. » Malgré ma fatigue, j'étais chamboulée comme à l'annonce d'une victoire. J'abandonnai mes chaussures et me mis à marcher pieds nus le long des allées. La fraîcheur de l'air lavait mon visage. Un petit chien me suivait en jappant. Je souriais toute seule quand je sentis quelqu'un près de moi. Mon nez se retroussa à ce parfum, musqué et sucré, qu'il aurait reconnu entre mille. Solange, la femme du docteur Sans Souci, ne devait pas être loin. Elle était là, elle me toucha le bras.

— Il faut que je récupère mon mari, me dit-elle de sa voix raffinée aux accents tronqués.

— T'avais qu'à ne pas l'encorner jusqu'à ce qu'il ne puisse plus se promener dans les bois !

dis-je méchamment. Tu l'as trompé et t'as que ce que tu mérites !

Elle me regarda très en colère : « Elle est bien bonne celle-là ! » Elle s'enfonça plus confortablement dans sa fourrure et me nargua : « Me donner une leçon à moi, ça alors ! » Elle m'expédia un sourire malicieux : « Tu trompes ton mari toi aussi, mais cela ne l'empêche pas de continuer à t'aimer ! »

— Un amour comme le nôtre, dis-je, ça ne se fait pas encore !

— Menteuse ! Tu l'as grigrifié, tout le monde le sait !

Je dessinai un rond d'un orteil.

— Qu'est-ce que tu penses, toi ? demanda-t-elle. Un intellectuel comme Pléthore ne peut pas aimer une...

Je dessinai un rond à l'intérieur du précédent.

— Je perds mon temps ! dit-elle. T'es qu'une briseuse de ménage !

Elle s'éloigna et, quand le vent passa devant moi en soulevant des feuilles mortes, j'y ajoutai mes mots :

— Le docteur Sans Souci garde précieusement tes morpions ! C'est un signe d'amour, non ?

Elle ne m'entendit pas. L'eût-elle fait que cette déclaration n'eût guère changé l'histoire du monde.

Alors que mes protégés se coursaient, tombaient dans les bras l'un de l'autre et riaient sur les fleurs mortes, je revins sur mes pas en pensant à Pléthore qui m'aimait noire – mais personne ne croyait en ses sentiments ; à Pléthore qui aimait mes odeurs de tendresse et de cuisine – mais était-ce possible ? ; à Pléthore encore qui aimait mes jerseys à grosses arabesques – mais était-ce vrai ? ; à Pléthore qui m'aimait pile et face – mais à qui j'avais du mal à pardonner son écart de conduite.

– Tu pleures ? me demanda Océan.

– Moi, pleurer ? Tu rigoles ! C'est juste une poussière, là, dans l'œil.

Il alluma une cigarette, dont il envoya goulûment la fumée autour de sa personne comme s'il voulait y disparaître. Flora-Flore fit marcher son regard de mes cheveux à mes chaussures, de mes chaussures à mes cheveux, et dit :

— Je voudrais tant te ressembler, Ève-Marie. T'es si forte !

— Ce peuple a besoin d'une psychanalyse collective, fit Océan.

Alléluia ! me dis-je à la réflexion d'Océan lorsque, plus tard, j'allai retrouver Michel. La relation que j'entretenais avec mon amant pouvait m'apparaître selon les jours comme une tranche de vie importante ou comme une débauche et une dépravation des mœurs. J'étais telle une droguée qui se shootait en fermant les yeux et en s'écriant : « Ah, quelle saloperie de bonheur ! » Ses manques de gestes et de mots d'amour me faisaient apprécier la tendresse des autres réciprocités humaines. Michel ne m'offrait plus de pomme puisqu'il en croquait :

— Qu'est-ce que tu veux, Ève-Marie ? me demanda-t-il.

Sans répondre, je baissais les stores du magasin, l'entraînais dans un coin et regardais méchamment sa bouche béer en direction du vent. Son vieux corps soubresautait, tragique.

Aujourd'hui que je me fais plus vieille, que ma chair se désintéresse de la douleur et du plaisir, je frémis encore sous l'effet des sentiments qui m'animaient alors : je voulais tuer Michel.

Dans le ciel le soleil dormait, et je pensais à Mlle Personne. On faisait du feu dans les cheminées, et je me disais qu'aucun être humain digne de ce nom ne pouvait disparaître dans la nature. On brûlait du charbon dans les chaudières et je finis par croire que Mlle Personne était peut-être une zombie qui se promenait la nuit et suçait le sang des vivants. Je fermais mes volets, y posais trois gousses d'ail et décidais de l'oublier ! Je la remplaçais par des veillées africaines dans ma maison. Certains soirs, après la journée de travail, venaient les exilés de Belleville. Ils s'installaient par grappes entières depuis l'entrée jusque dans ma cuisine. Ils écoutaient les griots. Ils arrivaient frigorifiés et tristes, ils repartaient réchauffés et heureux. Ils transportaient leurs appartements, leurs décharges et leurs joies de la France vers l'Afrique, parce que les griots leur expliquaient combien les terres africaines étaient plus chaleureuses, et ils s'enracinaient sous les tropiques et leurs cœurs devenaient aussi vigoureux que les troncs des baobabs et leurs corps s'épanouissaient avec autant de puissance que des bougainvilliers en fleur. Ils pouvaient encore passer mille ans en exil sans se soucier des souffrances.

Vous l'avez sans doute compris, chers lecteurs : je n'étais pas assez imbécile pour vivre un bonheur sans nuage, mais pas assez intelligente pour cueillir des pommes avec Newton ou courir la bagatelle avec Einstein ! Dans ces moments-là, mon cœur endurci, mon cœur de sauvage s'amollissait. Les paroles des griots enivraient doucement mon esprit ; Paris se raréfiait ; l'Afrique venait planer au-dessus de ma tête avec ses soleils et ses nuits croassantes de reptiles. Mes Cocontinentaux pouvaient écraser leurs cigarettes sur ma moquette, y crachouiller les noix de cola qu'ils mâchouillaient, prendre leurs aises dans ma maison, je ne marmonnais pas mon mécontentement, tant ces soirées préludaient à des bonheurs plus grands encore !

Océan écoutait les griots en méditant. Quelquefois il sortait sa flûte et jouait des airs laconiques pour accompagner les contes. Puis il disparaissait, revenait à l'aube, se levait tard dans la journée, mangeait debout dans la cuisine, buvait de grands verres de lait.

— Tu ferais mieux de mener une vie plus équilibrée ! lui disais-je. A ce rythme, tu vieilliras avant le jour, lui disais-je.

Sans me répondre, il s'allongeait sur mon canapé, l'allure très slow, les jambes infinies dans son jean. D'un ample mouvement ondulatoire il se redressait sur son séant et ouvrait l'écorce rose humide de ses lèvres :

— Tu ressembles à ma mère, tu sais ?

Je passais l'aspirateur entre ses jambes : « Elle tenait parfaitement la maison et aimait les enfants, même ceux des autres ! » Il souriait à lui-même, s'étalait de nouveau de son long, fermait les yeux et sa bouche devenait un charbon ardent : « Si elle savait ce que je suis devenu, elle en crèverait ! »

J'essuyais la table, entassais les assiettes dans

l'évier avec violence et j'imaginais sa mère, tenant d'une main ses pagnes, pieds nus dans ses sans-confiance, courant de ruelle en ruelle annoncer l'extraordinaire miracle : « Mon fils est en Europe ! Il fabrique des ponts pour les vrais blancs de France ! » Et les autres villageois se métamorphosaient tant l'envie rendait leurs hurlements inhumains : « T'as de la chance ! » Et la convoitise dévorait leurs yeux de passion : « Nous aussi, un jour, si Dieu le veut... nous irons en France ! »

S'ils savaient ! Mais quoi au juste ? J'avais l'impression de ne plus avoir une opinion très précise sur Océan. Mes convictions se disloquaient au fil du temps et échouaient sur les rives de ma vieillesse. Il s'enfermait des heures durant dans sa chambre avec Flora-Flore. Pendant que je servais des alokos sauce rouge, du ngondo aux épices des mers, des haricots blancs à l'huile de palme, des crocodiles meunière ou du pépé soupe, je les entendais brailler de rire. Énervée ou excitée, au choix, j'ajoutais du piment dans les mets. Mes clients s'étranglaient, pleuraient et rougissaient.

— Tu ne peux pas mettre moins d'assaison-
nement ? me demandait-on.

— Ça ne serait pas bon, mon chou, s'il y avait
moins d'épices. Nous sommes en Afrique, ici !

Et tout le monde éclatait de rire. « Ça décu-
ple les capacités sexuelles, parole de médecin »,
disait le docteur Sans Souci. Et toutes les oreilles se tendaient vers la chambre d'où nous parvenaient les rires d'Océan et de Flora-Flore.
Quelquefois nous croyions entendre des sou-
pirs et des gémissements. A cogne molle, à
douce glissade, tactilement, comme ces puces
minuscules qui s'installent dans votre foyer et
grignotent jusqu'à votre slip, dans mon esprit
Océan se transformait en hétérosexuel. Quand,
enfin, ils quittaient la chambre, les hommes
regardaient Flora-Flore goguenards parce qu'ils
s'imaginaient qu'elle possédait des ardeurs
sexuelles monstres. Des négresses répugnaient
à lui lancer des gentils bonjours. De jalousie
ou de colère, elles essuyaient leurs bouches.
Seule Mlle Babylisse prenait Océan à partie :
« Qu'est-ce que t'as à foutre avec une blanche,
hein ? » Elle fouillait ses yeux, joyeusement
provocatrice : « C'est plus doux à caresser une

144

peau minuit. C'est mon dermatologue qui me l'a dit ! » Les négresses marmonnaient, dents serrées : « Les Africains de France sont des complexés. Ils préfèrent les femmes bananes mûres. » Elles se grattaient et ajoutaient : « Savent pas ce qu'ils perdent ! »

– Tant que c'est pas pour le mariage..., disait le tirailleur Bassonga.

Puis il parlait des filles qu'il avait rencontrées avant de se marier. Il en ajoutait dans le cunnilingus, la fellation et la sodomie. Océan ne sourcillait pas. Mlle Babylisse nous chuchota qu'il devait être de ces hommes qui vous faisaient frétiller comme un poisson dans l'eau et vous amenaient à vous comporter en panthère dévoreuse.

– Je suis très fière de toi, dis-je ce soir-là à Océan alors que j'emplissais son assiette de victuailles, convaincue qu'il fallait qu'il prenne des forces après une journée avec Flora-Flore.

– Ah oui ! Qu'ai-je fait de si remarquable ?

– Quel morceau de poulet veux-tu ? le blanc ? la cuisse ?

– En réalité, me dit-il, t'aimes la mélasse.

145

T'aimes souffrir. T'es maso ! C'est pour cela que tu rejettes Pléthore !

— Au moins, je contrôle la situation, dis-je.

— Les hommes ne demandent pas qu'une femme ait une force intérieure, Ève-Marie.

— Tu dois en savoir quelque chose, depuis que...

— Que quoi ?

Il se leva brusquement de la table. Il disparut dans sa chambre et mon appétit s'envola. Par la fenêtre, je vis la lune inonder d'argent les terrasses de neige qui recouvraient la terre. Je sortis et humai l'air frais. Quand je me retournai, d'abord je ne vis que deux jambes, très longues, très belles, perchées sur des hautalonnées, gantées de bas à couture. Je remontai plus haut et vis une jupe en taffetas de soie où une taille corsetée vous donnait le désir de vous transformer en gaine. Deux épaules géométriquement précises se terminaient sur de magnifiques mains aux doigts effilés. Les joues étaient si lisses qu'on les savait douces rien qu'à les voir. J'eus la décence de ne point nommer ces yeux comme chez les communs des mortels tant ils scintillaient comme deux diamants vert émeraude.

– Océan ? interrogeai-je.

C'était Océan transformé en femme. Océan gardant sa voix de mâle sortie directement d'hypophyses en chaleur ! Cette voix à dessécher les roses en fleur, à cramer les arbres, à brûler les pluies ! Mes lèvres s'entrouvrirent.

– Pourquoi ? ! Pourquoi fais-tu ça ? demandai-je abattue mais énergique, triste mais combative. Tu veux me faire mal, n'est-ce pas ?

– Non, dit-il simplement. Il m'est indifférent de te tourmenter ou de t'apaiser. Ce qui m'horripile, ce sont les gens qui refusent leurs propres histoires pour s'intéresser à celles des autres.

– Et Flora-Flore ? Qu'est-ce qu'elle va dire, Flora-Flore ?

– Alexandre va divorcer, dit-il d'une voix ténébreuse. Les nègres de Belleville n'accepteraient pas de me voir déguisé en femme, n'est-ce pas ?

Je remis mon esprit en place et compris que je l'avais perdu. Il gagna la chambre qu'il occupait. Il s'accroupit et sortit de sous le lit des roses

147

séchées. Il noua ses vêtements dans un baluchon, suspendit sa flûte à son cou. Le temps était clément et la neige avait cessé de tomber. Il s'agenouilla devant moi, me salua d'une note, se releva et se dirigea vers la porte sans cesser de flûter. J'entendis ses pas dans les escaliers, et lorsqu'il s'arrêtait à chaque étage pour répéter quelques notes. Par la fenêtre, je le vis dans la cour, danser et jouer sur la neige. Sa jupe tourbillonnait, gracieuse tel un cygne noir. J'imaginai la place de mon village, avec des enfants qui frappaient leurs mains l'une contre l'autre pour donner la mesure, des vendeurs de cacahuètes, des paysans attroupaillés et des badauds qui assisteraient à un concert d'adieu. « Bonne chance », lui criai-je. Il alla d'un trottoir à l'autre, se dandinant, et disparut au coin d'une rue. J'entendis la flûte encore un moment, chaque fois plus faible et lointaine. Puis je ne l'entendis plus. Le vent reprit sa sarabande, je refermai la fenêtre et éteignis. Je m'allongeai sans bruit et gardai les yeux ouverts dans l'obscurité. Deux gouttes d'eau se faufilèrent entre mes oreilles. « Même mes larmes ne sont pas normales, me dis-je. Il est temps d'aller à la confesse. »

Deux nuits passèrent. Le soleil vint et passa ;
puis un autre jour. Je me souvins que je n'avais
pas vu Flora-Flore depuis le départ d'Océan.
« Pas de nouvelle, bonne nouvelle », me dis-je
alors que je descendais quatre à quatre les escaliers. La neige fondait, boueuse et salissante.
Par-dessus les vrombissements des voitures, les
femmes interpellaient leurs enfants de leurs
voix parisiennes, pénétrantes et rieuses. Un
Armstrong jouait de la trompette en surveillant
son sac où atterrissaient des pièces de monnaie.
Des boiteux aux yeux rayonnants mendiaient.
Des gitanes portant au creux de leurs bras jouf-
flus des chérubins d'une étonnante beauté
chantaient : « Dieu vous le rendra », et mendiaient aussi.

Je pris le métro. Je sortis devant le Bon Marché. Dans le froid hivernal, les bâtiments semblaient trembloter et se dissoudre dans le brouillard. J'enfonçais mes mains dans les poches de mon manteau et mes lèvres soufflaient de la vapeur. Une télévision lointaine crachait des publicités, niant, de par son existence, la théorie selon laquelle l'homme moderne est solitaire.

J'entrai dans l'église et me mis immédiatement à la recherche du père Simon. Je le savais timbré ou illuminé, fou ou inspiré, voilà pourquoi je revenais le voir, pour associer nos folies. Il me reçut avec son impassibilité habituelle. Il connaissait par cœur mes faiblesses et ne m'écouta pas. Agenouillée devant le confessionnal, je débitai mes péchés de gourmandise et de vénalité tandis que ses mains pieuses effleuraient la tablette de son isoloir. Ses yeux s'écarquillèrent soudain et il dit d'un battement de bouche :

— Dix Ave Maria et quatre Pater Noster.

Je récitai mes prières, désespérée jusqu'à l'os. Au fil au fil, les paroles saintes effaçaient les questions de mes lèvres. Mes angoisses disparaissaient et je glissais dans un abrutissement

bienfaiteur : mes rêves gonflaient. Des étincelles s'allumaient dans mon cœur. L'exil
s'achevait. La mort s'engloutissait et les amants
divins s'étreignaient à nouveau. « Les voies du
Seigneur sont impénétrables ! » me dis-je
quand j'achevai.

— Sentez-vous cette rose ? me chuchota brusquement dans l'oreille une voix que je reconnus
comme celle du père Simon.

En dehors des odeurs d'encens et des bougies qui crépitaient, il n'y avait pas de fleurs.
Je répondis néanmoins :

— Excellent parfum. Les violettes aussi
sentent très bon.

— Vous êtes dans le Seigneur, Ève-Marie. Je
l'ai peut-être perdu. J'étais au bordel avec une
Allemande.

Je fis un geste brusque pour me retourner :

— Non ! Restez comme vous êtes.

Quelques secondes passèrent qui me paru-
rent des heures. Je fermai les yeux et sentis des
effluves de pain chaud. Je pouvais entendre des
craquements de branches au-dessus des brouhahas de voitures ainsi que les bruissements des
feuilles. Un corbeau voleta à cinq centimètres

au-dessus de nos têtes. Je vis entre ses serres une souris vivante et l'entendis couiner. Je revins à la réalité juste à temps : le père Simon s'éloignait en courant entre les dédales de l'église.

Je me hâtai de rentrer à la maison pour tasser mes espérances au fond d'une valise et la ficeler, d'autant qu'en sortant de l'église j'avais failli marcher dans les crottes d'un chien. Dans la cour, le prédicateur Félix Éboué, entouré de nègres, prêchait la bonne parole :

— Une flamme bleue, longue comme d'ici à Ouagadougou, jaillit de sa bouche !

Il sortit une allumette de sa poche, la gratta contre ses dents, souffla. Et une flamme jaillit de sa bouche, droit sur nous.

— C'est pour votre pomme, ricana-t-il. Espèces de meurtriers de Sa Sainteté Catholique Apostolique ! Fils de hyènes ! C'est qu'un avant-goût de ce qui vous attend.

Des nègres riaient. Mlle Babylisse riait aussi : « Pourquoi ton bon Dieu n'a-t-il pas donné un père à mes enfants, hein ? lui demanda-t-elle. Je les ai tous accouchés dans vingt mille contractions de souffrance en respectant stric-

tement ses paroles : tu ne tueras point ! »
L'ancien tirailleur sénégalais tira sur les bretelles de son pantalon et rit : « T'as fait ces petits,
t'as qu'à les supporter ! » Babylisse jeta ses bras
comme pour attraper une lune. « C'est une
prison que d'être mère ! geignit-elle. On peut
même plus se payer du bon temps ! » L'ancien
tirailleur se moucha avec ses doigts et conclut :
« Ton cas a tout à voir avec Dieu. Il déteste
l'Afrique ! »

Discrète, je montai les escaliers et sonnai
chez Flora-Flore. Quelqu'un racla le pied d'une
chaise sur le carrelage de la cuisine. J'entendis
un déclic. La porte s'ouvrit et je sentis mes
boyaux se relâcher. J'allai directement aux
W.-C. et rejoignis Flora-Flore dans le couloir.

— Bon Dieu, criai-je. Mais qu'est-ce qu'il t'a
fait ?

— Rien de plus que d'habitude, dit-elle en
s'en allant dans sa chambre.

Elle s'allongea sur un lit à baldaquin et ses
cheveux froissés s'étalèrent sur la taie comme
les ailes d'un corbeau mort. Ses yeux étaient
bouffis. La lampe de chevet éclairait son visage
couvert d'ecchymoses. Ses cuisses étaient par-

semées de gnons bleus, jaunes et même noirs. Des croûtes de plâtre s'ouvraient au plafond comme des dents de requin. Je m'assis sur la couette aux pastels passés et pris ses mains froides.

— Tu connais, toi, de ces amours qui tuent ? me demanda-t-elle de sa voix de petite fille.

Comme je me taisais, elle expira bruyamment, sourit avant de reprendre :

— Au moins, je vais t'apprendre quelque chose.

Portées par le vent qui bruissait dans les feuillages, des paroles chevrotantes me parvenaient :

Il est vivant, alléluia !
Notre berger est vivant, alléluia !
Nous sommes sauvés, alléluia !

— J'avais dix-sept ans quand mes yeux se sont posés sur Jean-Pierre Pierre. Ce fut comme une flamme qui jaillissait des montagnes autour de l'horizon, est-ce que tu comprends jusque-là ?

Au loin un enfant jouait à chat perché et

enrubannait de jasmin la corne d'un rhinocéros en peluche.

— C'était un homme de la ville, reprit-elle. Il passait quelques jours dans un hôtel du coin. Dès qu'il me vit, il me prit la main et nous ne nous quittâmes plus. Nous cheminions dans les bois, main dans la main, au nez des sangliers. Nous faisions tourbillonner les oiseaux dans leurs propres rondes, parce qu'ils croyaient qu'on leur ressemblait. Le soir venu, enlacés, nous regardions le soleil se coucher à l'horizon, nous admirions les cieux incandescents, zébrés d'incessants météores. Est-ce que tu suis ?

J'entendis rire Mlle Babylisse aux éclats et le vent transperçait les sans-abri. J'entendis des bruits de pas dans les escaliers. J'entendis le son strident de la sonnette de mon appartement. « Mais qu'est-ce qu'elle fout Ève-Marie ? » demandait Babylisse. Flora-Flore parla encore :

— Papa surprit l'éclosion des sensations inouïes dans mes yeux et m'enferma à double tour. Pendant deux jours et deux nuits, je refusai de m'alimenter. Je vivais un désert tant Jean-Pierre Pierre me manquait. Un soir, je réussis

à m'enfuir par la fenêtre et le retrouvai à l'hôtel.
Tu suis toujours ?

Cette fois, les pas descendaient les escaliers.
« Bien fait pour notre pomme ! glapit le
tirailleur Bassonga. Ève-Marie gagne son fric à
nous exploiter. Elle n'a plus besoin de travailler. Elle dort le ventre à l'air et mange son
fric, que voulez-vous ? » Les nègres gloussèrent
et je compris qu'ils m'aimaient avec réticence.
Flora-Flore parla encore :

— Quand Jean-Pierre Pierre me vit, il garda
le silence de longues minutes et j'eus peur qu'il
ne veuille plus de moi. Soudain, il me gifla
avec une telle violence que je tombai sur le lit.
« Tu es à moi », me dit-il. Il m'enferma des
jours et me pénétra vers Sodome. J'avais mal,
je hurlais, tandis que son sexe court fouillait
mes entrailles avec une violence et une régu-
larité qu'aucun baiser jamais n'interrompait.
Il riait et me tirait les cheveux : « Tu m'ap-
partiens, et ça tu dois l'apprendre ! » Il me
nourrissait de sandwiches et de lait froid. Je le
haïssais. Mais un jour il m'offrit de jolis sous-
vêtements et me pénétra vers Jésus. J'en fus si
heureuse que je pleurai de bonheur. Je lui baisai

la main. « Je t'aime », lui dis-je. Et depuis, nous sommes un couple. Tu suis toujours ?

Il faisait tout à fait noir maintenant mais la lune n'était pas levée. Des pneus de voitures crissaient sur le pavé et, plongée dans mes pensées, j'imaginais les vacarmes d'une jungle : grenouilles et crapauds rivalisaient dans les marais ; les lions toussaient dans les sous-bois ; les rires hystériques des hippopotames faisaient écho aux sanglots des hyènes qui pourchassaient des singes. Ces bruissements de feuillages, ces crépitements, ces barrissements perturbaient les ondes de mes repères.

Et c'était mieux ainsi parce que je ne la suivais plus. Ces amours à vous briser telle une racine dépassaient ma compréhension. Je n'étais pas assez sophistiquée et, si j'avais pu, je me serais enfuie à une telle vitesse que mes talons m'auraient donné une fessée. Je me levai et entrepris de ranger. Je ramassai des caleçons, des chemises, des chaussettes qui traînaillaient, les pliai soigneusement.

— Qu'est-ce que t'es désordonnée, toi, alors ! dis-je gentiment grondeuse.

Ses yeux se remplirent de larmes.

157

— Il va finir par me tuer comme il a assassiné Mlle Personne.

A ces mots, je sentis mes jambes faiblir et tout devint étrange, tel un reflet sur la surface d'un lac. Je me laissai choir sur le plancher. Je ne pensais plus à Mlle Personne et voilà qu'elle resurgissait : « Tout ce que le soleil a vu, les hommes finissent par le savoir. » Mes mains tremblaient. Des gouttes de sueur perlaient de mon front. J'avais soupçonné Pléthore de ce meurtre. Je l'avais aussi repoussé pour cette infamie. Je me mis à siffler par autodérision. D'un geste, Flora-Flore donna la mesure en battant des mains. La musique prit forme, presque sans avertir. Elle se mit à vivre, à tourbillonner et à s'enrouler sur elle-même tel un serpent aux couleurs vives.

Je commençai à traîner des pieds et Flora-Flore se leva et fit de même. D'abord lentement, puis de plus en plus vite. Nous avancions et reculions en cadence. La sueur coulait le long de nos flancs et de nos aisselles. J'avais soupçonné Pléthore de ce meurtre, pourquoi ? Tandis que je hululais, que les appartements voisins s'emplissaient d'injures réprobatrices, le mal filandreux qui avait dévoré mon cerveau s'exposait à la lumière crue. Pourquoi ? Parce qu'il était blanc ? Parce qu'il symbolisait la supériorité blanche ? Le complexe noir ? L'anti-complexe noir ? Les mille abus de confiance ? Les dix mille trahisons ? L'esclavage et la soumission ? Notre couple – comme des millions de ses semblables – portait en son sein les germes des dissonances historiques inavouées. J'avais aimé Pléthore comme une esclave aime son maître, avec méfiance. J'avais craint sans me l'avouer qu'il ne fût attiré que par mon exotisme et par ces préjugés sexuels qui accompagnaient l'existence des noires, les enclavaient et déterminaient leurs rapports au monde. Sans m'en rendre compte, j'avais pris prétexte de son infidélité pour lui faire payer les bavures de l'humanité.

Quand j'eus tant sifflé que j'en eus mal à la gorge, je m'accroupis et ma propre injustice me sauta aux yeux, chaude comme des braises.

– T'es encore là ? me demanda Flora-Flore.

– Ce qu'il en reste, dis-je.

– Il ne voulait pas la tuer. Ç'a été un accident. Voilà des mois qu'il me l'avait imposée pour faire mon éducation et soigner ma jalousie, tu comprends ?

— Non, dis-je.

— Tant pis. Mais sache qu'ils baisaient devant moi et riaient de ma tristesse. Qu'ils s'attachaient les mains dans le dos, se fouettaient et jouissaient de douleur, tu comprends ?

— Toujours pas.

— Tant pis. Cette nuit-là, ils voulaient jouer au violeur étrangleur avec sa victime. Alors ça a mal tourné, tu comprends ?

— Et le sang ?

— Il lui a fracassé le crâne pour brouiller les pistes, c'est tout. Ensuite j'étais désespérée, perdue aussi. Je tremblais de tout mon corps. J'avais la nausée lorsqu'il m'a demandé de l'aider à se débarrasser du corps. Le meilleur moyen c'était de le jeter devant votre porte « parce que chez les nègres, ça sait se débrouiller avec la police », m'a-t-il dit.

Dans un cri où s'étaient réunies toutes les forces du désespoir, je dis :

— Tu ferais mieux d'aller tout raconter aux flics !

— T'es folle ? dit-elle. Il va me tuer, oui ! Et

s'il ne le fait pas, j'achèverai mes jours en prison pour complicité de meurtre. N'oublie pas que toi, Pléthore et tous les autres serez aussi condamnés !

Elle n'avait pas tort et je restai pantoise. « Si j'avais su ! » me dis-je, en maltraitant, silencieuse, mes cheveux. Flora-Flore en profita pour se précipiter dans son lit avec une explosion de jurons et d'injures :

– Nous sommes tous dans la galère ! N'oublie pas de claquer la porte en partant.

Elle tira la couette sur sa tête. Je l'arrachai et saisis ses cheveux. Elle hurla, lança les bras et agrippa ma tignasse. La lune se leva à cet instant et toutes deux, nous braillâmes vers les étoiles comme des pleureuses.

– C'est lui qui a enlevé le corps, n'est-ce pas ? Qu'est-ce qu'il en a fait ?

– Je ne te le dirai pas.

– Dans ce cas, dis-je, t'as pas le choix. Tu dois le tuer.

– Comment ?

– Je m'en occupe, dis-je en la lâchant.

Le mystère de Mlle Personne était presque élucidé et je sortis, légère telle une plume de paon. Je montai les escaliers comme si je grimpais à un arbre pour faire le point. Mes seins se balançaient tant qu'on eût cru deux ailes de libellules radieuses après de longues nuits chrysalides. Mon acte, pensai-je, métamorphoserait Flora-Flore. Elle renaîtrait aussi souple qu'un serpent qui vient de muer. J'ignorais encore que tuer un être humain n'est pas ris de veau et limaces et que je n'en avais pas réellement fini avec Mlle Personne.

Ce fut à cette époque que l'idée me vint de raconter par écrit ce que je vivais, dans l'espoir de garder la tête hors de la marée montante où la confusion des valeurs menaçait de m'emporter. Mais mes personnages me fuyaient. Je n'arrivais pas à donner corps à mes sujets ni à une réflexion personnelle. A la fin, épuisée, je mettais mes transcriptions sous le lit et m'escrimais avec mes casseroles. Parce qu'en attendant, malgré mille projets, y compris celui de tuer Jean-Pierre Pierre ou de le faire emprisonner jusqu'à ce que mort s'ensuive, j'avais besoin des casseroles pour croûter.

Pendant que je servais mes clients, je pensais à Pléthore qui ne m'avait plus donné signe de vie. Je me demandais où il pouvait bien être. Je sentais mon cœur prêt à éclater, ma gorge étranglait des sanglots. Je percevais des étirements crispés de mes lèvres pendant que je servais des alokos aux poissons fumés. « Une femme ne doit pas montrer qu'elle souffre parce qu'elle est désaimée », me disais-je. Ces paroles me réconfortaient et mes yeux s'emplissaient d'une lueur de sang. « Tant pis ! » ajoutais-je en moi-même, pleine de rage.

Mon éducation africaine me tenait droite comme une corde qu'on tire. Je ne pouvais verser publiquement ces larmes féminines spécifiques aux Européennes lorsqu'elles veulent obtenir par la pitié ce que leurs stratagèmes ne peuvent leur arroger. « Il est méprisable », me disais-je, parce qu'il appartenait à Pléthore de me capturer. J'allais continuer dans les faux-semblants, des mélanges de ruse et de cynisme, de coquinerie et de cruauté, jusqu'à ce qu'il me traque. J'étais une sauvage et cela me donnait une grande aptitude à survivre.

J'évoluais ainsi dans un brouillard évanescent, au milieu des clichés archaïques : retour aux cocotiers, aux cache-sexe et au cannibalisme ! Je démolissais moi-même mes propres constructions de femme indépendante. Assise au milieu de mes clients telle une rose géante, un foulard bigarré dans les cheveux, je revenais aux principes d'antan :

— Tu sais, docteur Sans Souci, commençai-je, si t'avais pas donné autant de liberté à ta femme, jamais elle t'aurait cocufié !

Les nègres applaudissaient à mes énormités. M. le tirailleur Bassonga grattouillait le riz au fond de mes casseroles.

— Faut que tes consœurs comprennent que leur place est au foyer, disait-il, et ses yeux harponnaient Mlle Babylisse. Pas dans les rues !

— Les paléolithiques avaient raison ! surenchérissait le docteur Sans Souci en s'épouillant. Ils avaient droit de cuissage sur toutes les femmes de la tribu !

Mlle Babylisse tournoyait dans son lapin comme un animal.

— On choisit pas d'être une pute, disait-elle. D'ailleurs, j'en suis pas une ! J'ai pas de maquereau, alors !

On parlait d'évolution de l'humain, de la découverte du feu, du silex et des principes de base sur lesquels s'étaient fondées les sociétés. Ces discussions provoquaient du remue-ménage et les opinions contraires cognaient les unes contre les autres. « On retourne dans le passé, avec les frigos ! » suggérait le tirailleur Bassonga. Il se précipitait aux toilettes et revenait vêtu d'un cache-sexe rouge. « Suis pas beau comme ça ? » demandait-il à Babylisse en gonflant ses muscles ramollis, et son ventre bedonnant s'écroulait bas sur ses cuisses : « Dis pas que je te fais pas frémir, petite menteuse ! » Il battait des paupières et les lèvres de Babylisse s'auréolaient de rose : « Va te rhabiller, grandpère ! » Ils se disputaient, criaient, s'injuriaient, mais n'en venaient jamais aux mains, et plus tard seulement je compris combien ils s'aimaient.

De mon côté, je voulais ces retours aux palmiers parce qu'ils étaient rassurants. Ils me permettaient de condamner mon amour de Pléthore. La vue d'un couple noir-blanc dans la rue me donnait des ulcères. « C'est du temps perdu ! » criais-je. A les voir si sexuels, l'œil perdu dans les grandeurs, je me précipitais sur eux, furieuse : « Jouissez, amants d'un jour ! Car voici venus à vous des temps de vaches grasses ! Demain sera celui des vaches maigres, des seins qui s'écroulent, des sexes rancis, des dégoûts et des rancœurs éternels ! » La poésie m'abandonnait. Mes rires s'en allaient se briser contre une ligne froide, et je me disais que j'aurais mieux fait de rester dans ma brousse !

Par un après-midi radieux où je me promenais au parc de Belleville, je vis deux adolescents se sucer la langue. La négresse portait un chandail bleu marine sur un jean. Ses tresses, telles de minuscules feuilles de cocotier, floculaient au vent. Le garçon, un blond imberbe, répondait à ses câlins et roussissait.

— Tu peux pas l'aimer, criai-je en tapant des pieds.

Les amoureux stoppèrent leurs câlineries, m'observèrent avec cette supériorité qu'octroient la décence et la bienséance. J'en fus si honteuse que moi, pauvre folle, je m'exprimai en ces termes :

— Que connais-tu de la culture de cette fille, hein ? Vas-tu aimer l'odeur du miondo ? Et celle du manioc ? Et celle du kwem ? Ha, ha ! tu vois bien que tu ne peux pas l'aimer vraiment !

— T'es maboule, ma vieille ! dit la négresse.

— La ferme ! criai-je. Tout ce qu'il veut, c'est ton cul !

Sans me donner l'ultime chance de développer mes allégations, ils s'éloignèrent en se moquant de mes délires et de mes manquements de cerveau.

Je restai seule, douloureuse et honteuse. Je revins à la maison en pouffiassant. Toute la tribu nègre et compagnie m'attendait en piaffant et je les entendais depuis le deuxième étage : « Qu'est-ce qu'elle fabrique, hein ? » Et encore : « Si ça continue, on change de maquis ! » Dès qu'ils me virent, la terre pétilla et trembla sous leurs pieds : « C'est à cause des gens comme toi que l'Afrique s'en sortira jamais. Tu respectes pas tes horaires ! » Je les toisai et un lourd brouillard fumeux se dégagea de mes lèvres :

— Comment commet-on un meurtre parfait, hein ? questionnai-je.

Ils furent si surpris que leurs langues pendouillèrent. Une odeur sulfureuse haleta de leurs bouches : « On veut pas entrer dans les sales histoires, nous ! » Des nuages déroulèrent leurs volutes jusqu'en Afrique : « Tu ne penses pas qu'on souffre suffisamment dans ce pays pour encore aller chercher des histoires dans les poubelles ? » Ils se mirent à descendre et crièrent : « Oublie-nous ! » parce qu'ils étaient convaincus qu'en m'abandonnant ils s'évitaient des problèmes qui auraient eu pour conséquence la dislocation de leurs vies d'exclus. Je vis la forêt prendre d'assaut mon maquis. Des hyènes broyaient mes casseroles et des chacals se disputaient mes entrailles car je n'allais pas tarder à crever de faim, le ventre en l'air. Je courus derrière eux, me montrai prolifique, ingénieuse, rassurante, justifiai ma prétention à être la plus apte à les faire survivre dans un univers hostile : « C'est pas pour de vrai que je veux savoir comment on commet le meurtre parfait ! J'écris un livre ! »

La nouvelle éclata comme une bombe et explosa leurs entendements. De la bave coula de la bouche du docteur Sans Souci et je trouvai que le monde avait fichtrement bonne mine. Les yeux de Babylisse tourbillonnèrent comme des feuilles dans le vent et un volcan gronda de toutes les lèvres et déversa une lave incandescente :

169

— Pour être une nouvelle, ça, c'en est une !

Les voilà à se précipiter chez moi en bouillonnant : « Où est ton livre, hein ? » Ils se bousculaient, se marchouillaient sur les pieds pour assister au miracle de l'accouchement littéraire. « Tu m'as pas mis dedans, j'espère ? » demandaient-ils faussement outrés. Je sortis mes feuilles graisseuses de sous le lit. Je m'assis au milieu de la pièce et ils firent cercle, désireux de rejoindre le monde des soleils qui brillent toujours, des rires sans terminaison et des nuits magiques et éternelles.

Je lus :

Il était une fois un homme qui aimait les femmes...

C'était banalement classique, mais les nègres haletaient. A l'extérieur, le tonnerre gronda et la pluie tambourina dans les chêneaux. J'avais des démangeaisons et je lisais d'une voix sourde. Je craignais que mon histoire ne valût que des clopinettes ! des sauces tomate ! des endives et autres agrumes ! Je craignais aussi qu'elle valût de l'or ! des diamants ! des saphirs, et qu'en la lisant à des ignares leur réaction ne décourageât mon entreprise artistique. Je tremblais, mes mains tressautaient car, plus que tout, j'avais conscience de vendre mon âme en donnant aux autres ces morceaux intimes de moi afin de garder ma clientèle. Les nègres avaient l'air dans tous leurs états mais je craignais le pire. Babylisse sanglotait et le docteur Sans Souci marmottait des choses en latin. Quand je me tus, le tirailleur sénégalais bondit vers moi en grondant comme un chien méchant et ses yeux sortaient de sa tête :

— Où va le monde, hein, si les femmes écrivent des histoires ?

Tout le monde applaudit et un doute douloureux releva mes sourcils parce que j'avais besoin de bonnes notes.

— Rien de plus facile que de tuer quelqu'un ! dit l'ancien tirailleur. Tu prends un fusil.

Il forma un rond de ses doigts et le posa sur son œil :

— Tu tires, pan ! pan ! Ensuite tu vas en prison.

Tout le monde éclata de rire et ce fut l'éclosion soudaine des talents meurtriers. Chacun proposa des potions : l'arsenic pur qui écrasait les intestins sans aucune chance de rémission ;

le mercure qui rongeait le foie jusqu'à le transformer en biliaire ; le venin du serpent, celui
du scorpion, de l'araignée de brousse et les
crottes de chat qui, ingurgitées à petites doses,
refilaient une épilepsie assassine. L'univers
végétal n'eut aucune raison de jalouser la
pharmacopée animale et humaine. On me proposa des lianes étrangleuses, des sables mou-
vants engloutissants, des champignons empoi-
sonneurs et des sucs de feuilles de mangue qui
provoquaient des arrêts cardiaques instantanés.
Je dus reconnaître que, s'ils avaient raison, les
plantes tuaient aussi sec qu'une bombe. Pendant qu'ils chaotiquaient, agitaient les spectres
des morts possibles, je démêlais ces pelotes
d'informations, l'air de rien, avec des : « Tu le
crois vraiment ? » et des : « Chic alors ! » parce
que Jean-Pierre Pierre devait mourir.

Les nègres étaient fiers d'eux. Ils étaient si
concentrés qu'ils transpiraient. J'étais environnée d'odeurs de sueur, d'after-shave, de cigarettes et de bière. Ils croyaient participer à la
plus grande œuvre littéraire que misère en sous-
développement ait jamais connu. J'eus droit à
toutes sortes de conseils et j'en fus ahurie.

— Fais tuer ton personnage par un gendarme, me conseilla le tirailleur Bassonga en gonflant sa poitrine comme un ramier.

— Tu dois le faire assassiner par son père pour inconduite, proposa le docteur Sans Souci, et ses joues gonflèrent comme un crapaud-brousse.

— Je suggère qu'elle ait deux amants, dit Babylisse. Ainsi, l'un d'eux, fou de douleur, tue sa maîtresse, et ses fesses virèrent au vermillon.

L'héritier naturel de l'Académie française se leva, croisa ses mains.

— Le langage est le reflet de la pensée, clama-t-il. C'est pure courtoisie si j'ose appeler langage le charabia qui sort de vos bouches ! Ce n'est pas avec les quelque trois cents mots de vocabulaire que possède Ève-Marie — et vous autres aussi, soit dit en passant —, ces deux douzaines de verbes à tout faire que vous éculez sans cesse, l'incurie réelle des prépositions et des conjonctions de coordination dont vous abusez et qui trahissent votre ignorance, qu'une œuvre digne de ce nom verra le jour.

Les nègres sifflèrent si fortement que je crus qu'ils allaient le trucider : « Couillon, pour qui

173

te prends-tu à la fin ? Pour le nombril du Christ, peut-être ? » Ils se ruèrent sur lui, prêts à lui faire un sort. Mais Rasayi brandit ses journaux corrigés comme deux flèches. Les nègres reculèrent en grondant et jurant.

— Perdre son innocence pour gagner l'ignorance, quelle stupidité ! leur jeta-t-il, méprisant.

Puis il entra dans une dépression mentale et partit en claquant la porte. Les nègres mangèrent en tapant des conversations sérieuses, enthousiastes et confuses sur la création. Ils m'aidèrent à faire la vaisselle : « Quand t'auras le Nobel, très chère, n'oublie pas tes tout dévoués ! » Ils m'embrassèrent et me félicitèrent : « Bravo et merci pour tout ! », comme si j'étais une héroïne qui venait de sauver le peuple d'une mort certaine.

La terre se réchauffa et j'interrogeai Flora-Flore l'air de rien, afin qu'elle me fournisse des indices qui me permettraient de coincer Jean-Pierre Pierre, au cas où mes plans de meurtre échoueraient. Les oiseaux se disputaient leurs places dans les feuillages et Flora-Flore me disait : « Comprends-moi, Ève-Marie, je ne veux pas le livrer à la police ! Je l'aime ! » Ils tenaient des concerts à brouiller l'esprit d'un lion et elle l'aimait encore. A l'étalage des marchands, la mode des fruits défila à une vitesse prodigieuse. Chaque variété passa devant le tribunal des fins palais : « Elles sont bonnes les fraises, cette année ! » ou : « Les melons ne sont pas parfumés, cette saison ! » Les autochtones raccourcirent leurs jupes et les manteaux échouèrent dans les penderies telles des feuilles mortes.

Dans la journée, j'exerçais mon métier de maquisarde avec détachement et faisais bifurquer mes clients dans mes univers romanesques. Je leur racontais l'évolution des personnages. Ils sifflaient, persiflaient d'admiration et je me voyais déjà au panthéon des petits grands de ce monde. Ensuite je buvais, je fumais, j'écrivais et tournais en boucle dans la maison comme un chien encagé. Quelquefois Flora-Flore et moi allions nous promener dans les jardins de Paris où les jupes froufroutées volaient dans le vent. Elle marchait devant moi, dans ses larges pantalons. Elle flirtait avec le vent et se parlait à elle-même. Les gens la regardaient et, dans ces moments, j'aurais voulu me dissoudre et disparaître.

Un après-midi où nous étions assises au parc Monceau à commenter les habits des riches, à gloser sur leurs valets de chambre et de pied, Flora-Flore propulsa un soupir long comme une veuve africaine.

– C'est vrai ce qu'on dit des hommes ? me demanda-t-elle. Il paraît que plus leur sexe est petit, plus ils sont gentils. Paraît que c'est vérifié ! Les Africains ont des gros sexes, donc ils sont méchants avec les gonzesses.

– J'en connais moi qui sont méchants avec des petits sexes !

Elle secoua la tête et grogna :

– Tu m'aides pas, vraiment ! Comment veux-tu que je me débarrasse de Jean-Pierre sans avoir décortiqué auparavant le pourquoi du comment de par quoi il me tient ?

– Par son sexe ? demandai-je en la regardant, dégoûtée.

– J'aime les gars bien membrés.

Je me levai et me mis à marcher, très vite. Flora-Flore me suivait en clopinant. Elle essayait de se justifier, mais sa voix restait dans les ténèbres. « Chacun ses bonheurs ! » dit-elle. Elle buta dans un gros berger allemand qui se retourna et lui montra ses crocs. « Toi aussi, t'aimes faire l'amour, dit-elle en esquivant le chien. Sinon pourquoi irais-tu rejoindre cette saleté de Michel, hein ? »

Je me retournai agressivement et l'envoyai sur les roses :

– Tu ferais mieux de tuer ton bonhomme

177

au lieu de t'occuper de mes affaires, est-ce clair ?

Puis, irréfléchie, je me mis à lui donner des recettes pour assassiner. Je parlais en criant presque.

— Tu veux tuer ton mari sans risquer la prison ? demandai-je, mes mains tirées vers le ciel comme pour attraper le soleil.

Je citai mes connaissances en la matière, fascinantes et saugrenues. Autour de moi, les bourgeoises s'étaient groupées. Elles semblaient troublées par mes trucs et machins destinés à empoisonner même un éléphant à petit feu sans se faire pincer par la police. Elles semblaient envieuses de la façon claire et simple avec laquelle je les énonçais. Certaines griffonnaient des mots sur des aide-mémoire. Quand j'eus achevé ma prestation, Flora-Flore se jeta dans mes bras en pleurant et elles applaudirent, croyant sans doute qu'il s'agissait d'une représentation théâtrale. Puis elles s'éparpillèrent, disparurent derrière les arbres comme des voleuses.

— Chaque femme porte en elle un homme qu'elle veut tuer, dis-je en caressant ses cheveux. J'en suis certaine, ajoutai-je en me fiant à mon instinct.

— Je l'ai dans la peau, pleurnicha-t-elle.

— Arrache-le, dis-je en la berçant dans mes bras.

Une vague de bien-être nous envahissait, une libération des entrailles. « Dieu est bon », dis-je, d'une façon tortueuse, en souriant. Nous restâmes ainsi de longues minutes, entrelacées, sans nous soucier qu'un passant passe ou que, d'une fenêtre entrouverte, un homme rie et baise sa femme.

Nous rentrâmes à Belleville, aussi silencieuses que des hommes politiques qui viennent d'ourdir un complot. Dans les escaliers, nous nous séparâmes en remplaçant nos câlins par une poignée de main secrète. Au même moment, Jean-Pierre Pierre surgit Dieu seul savait d'où et l'agrippa. Ses cheveux coupés à ras se dressèrent sur sa tête comme des branches. Ses yeux noisette lancèrent des flammèches et je crus qu'elles me brûlaient.

— Où étais-tu ? demanda-t-il à Flora-Flore en lui attrapant les épaules.

— Respirer un peu d'air, dit-elle. Pardonne-moi, mais j'ignorais que tu serais rentré plus tôt.

Ces mots semblèrent le calmer et je me dis : « Bon Dieu, pourquoi as-tu donné autant de force à cette brute ! » J'observai ses épaules en armoire, ses mâchoires carrées, son nez pincé. « C'est pas juste qu'un assassin comme celui-là traîne dans la nature. » Un esprit lui souffla mes réflexions dans les oreilles, il se tourna vers moi, palpitant de haine :

— Qu'est-ce que vous avez à me regarder comme ça, vous ?

Parce que je le savais dangereux, assassin, et que, pour les types de son espèce, une vie d'homme ne valait pas plus que celle d'un poulet et que, vaille que vaille, il tuerait encore pour sauver sa peau, je dis quelque chose à quoi je n'avais pas songé :

— Je vous trouve beau ! déclarai-je en grimpant chez moi.

Une fois seule, je m'allongeai dans mes draps fleuris dont les couleurs criardes s'estompaient dans la lumière interminable d'un soir de fin mai. Bras croisés derrière ma nuque, je guettais le signal que ma page blanche me transmettrait discrètement. Des longues minutes passèrent et s'enroulèrent sans qu'aucune complicité ne s'installât entre mes personnages et ma pensée. Soudain je vis couler sur ma vitre une peinture rose bonbon qui m'écœura. J'ouvris ma fenêtre, prête à envoyer le malappris sarcler des mangues. Ma stupeur fut si intense que je crus que mon âme se détachait comme une matière morte et s'effondrait.

– Qu'est-ce que tu fous là, toi ?

Pléthore était perché sur une échelle et peignait ma façade. Il portait une combinaison bleue crispée de crasse. Il avait l'air fou et malade. Ses cheveux avaient poussé et des plaques de peinture recouvraient son visage enflé. Sa respiration était laborieuse et j'eus honte de lui.

– Je voulais t'offrir une maison de poupée comme dans *Blanche-Neige*, dit-il d'une voix tressautante.

– Viens, viens, fis-je écœurée par ce gâchis.

Il descendit de l'échelle et je vis son pauvre ventre frétiller derrière la combinaison. Il se baissa et enjamba la fenêtre.

Il se tint devant moi, courbé, l'air de

181

quelqu'un qui ne savait quoi faire de ses ongles sales, de ses bras amaigris, ni même de ses jambes. Je passai distraitement deux doigts dans ses cheveux et allai remplir la baignoire.

Je le lavai, le brossai énergiquement, jusqu'à ce que l'eau devienne noirâtre. Au loin, des nègres vêtus de costards noirs, ornés comme dix mille madones de fausses couronnes en diamants, fêtaient la mort d'un dictateur africain. Ils agitaient des épouvantails, les piétinaient, les écrasaient avec de forts ricanements : « Il est mort, enfin ! » Ils frémissaient de colère et d'indignation : « Tiens, salaud ! » Ils les brûlaient et la fumée s'élevait et emportait les mille affronts subis et les dix mille maltraitances : « Salaud ! Crève vingt fois ! »

Pléthore se laissait faire, docile comme quelqu'un qui ne comprend pas très bien ce qui lui arrive. Je l'essuyai, l'enveloppai d'une serviette et attrapai des ciseaux.

— Faut couper tout ça et ensuite ils repousseront ! dis-je, tandis que ses mèches rousses s'écroulaient en auréoles sur le carrelage, et que quelques poux qui y avaient trouvé refuge se débattaient à sauve qui peut.

— J'aime que la romance soit romantique !
dit-il lorsque j'eus achevé.

Il éclata d'un rire triste, puis, tournoyant sur
lui-même comme dans un rêve dont il avait du
mal à s'extirper, il alla mettre un disque et
alluma une cigarette. Je le vis mordre ses lèvres
et compris qu'il cherchait à me parler avec des
mots clefs comme le Nouveau Testament.

— Tu es libre de faire ce que tu veux, dit-il.
Aimer l'autre, c'est s'effacer quand il le désire.

— C'est toi qui as commencé à me tromper,
Pléthore, protestai-je.

— Chut !

Il m'a écrasée contre sa poitrine et nous nous
sommes bercés d'avant en arrière. « Sais-tu que
je t'ai épousée malgré la désapprobation de
tous nos amis blancs ? » m'a-t-il soufflé, alors
que la musique défilait en rythme et basse.

— Tu as commis l'erreur de ta vie, ai-je dit.
C'est trop dur, le regard des autres.

— Je t'aime.

Ses mains ont frôlé plus intensément le tissu
de ma robe. Il s'est penché et m'a embrassée.
Mes pieds étaient glacés, mes mains gelées.
« Aimez-vous les uns les autres... » m'a-t-il

murmuré au creux de l'oreille, et j'ai senti son souffle chaud descendre le long de ma colonne vertébrale. « Aimez-vous, comme je vous ai aimés moi-même ! » Il m'a étreinte, il a enfoncé ses ongles dans mon dos et il m'a allongée sur le canapé.

Puis il a remis chaque chose à sa place et inondé mon corps de joie. Un chien perdu a aboyé dans les fougères. Un chat a miaulé et je lui ai donné ma langue. Nous avons tambouriné et nous nous sommes conté des délices, à l'office des feux. Nous avons joué du grelot et des extases conjointes. Nous avons échoué en transpirant l'un contre l'autre et dégagé des odeurs de connivence.

Plus tard, allongés flanc à flanc, nous avons fumé des cigarettes et gommé la honte : d'être cocus ! D'être un couple mixte ! Poilus ou imberbes ! D'avoir trop ou pas assez de graisse ! D'être esclave ou esclavagiste ! D'être chiens ! D'être pauvres ! Soumis ou insoumis ! Nos cœurs chantaient une oraison funèbre pour des crépuscules où, hémiplégiques, nous ne participerions plus aux ballets ensoleillés des passions flamboyantes.

Je compris qu'il s'agissait d'un point central,
d'un moment crucial pour sauver notre couple.
Je savais que désormais, notre amour, sans s'épanouir, pourrait survivre.

– Je t'aime, ai-je dit.

Des jours passèrent dans un immense
brouillard évanescent. Ensemble nous nous
promenions sur les quais et donnions à manger
aux pigeons. Nous marchions dans la nuit sous
la pluie chaude de l'été. Quand nous croisions
Michel, il me jetait des œillades affamées, ten-
tait de m'entraîner dans ses plaisirs pervers aux-
quels je résistais. Nous allions à la piscine et
l'odeur du chlore me faisait mal à la tête. Nous
restions les derniers clients des restaurants chinois, assis derrière des paravents aux imprimés
lascifs.

– Penses-tu que nous vieillirons ensemble ?
demandais-je entre deux ou trois voix qui
résonnaient au loin. J'en connais pas des couples mixtes qui ont fini leur vie côte à côte.

Le doute perçait derrière mes interrogations.
Pléthore m'expliquait qu'il ne dériverait jamais

loin de moi, qu'il ne cesserait jamais de m'aimer. Il ignorait quelle forme prendrait notre amour parce que, jusque-là, l'imagination sociale n'avait pas exploré le métissage à grande échelle. Il était convaincu que, sans être des lumières, nous pouvions remodeler les goûts publics en malaxant les besoins privés pour qu'ils s'adaptent les uns aux autres.

— Toute façon, concluait-il, je refuse de voir notre différence et de couleur et de culture comme un problème.

J'étais sceptique.

Et comme la communauté noire semblait vivre dans la même pièce, les nègres ne tardèrent pas à s'amener en protestant. Leurs voix s'entrecognèrent dans les escaliers en tambour-major : « Qu'est-ce que tu fous, Ève-Marie ? Tu veux plus nous donner à manger ou comment ? » Ils m'écrasèrent de leurs désapprobations : « Qu'est devenu notre roman ? » Ils pénétrèrent dans la maison en glapissant et l'ancien tirailleur Bassonga tira sur les bretelles de son pantalon et agrippa Pléthore : « Depuis que t'es revenu, notre sœur s'occupe plus de nous ! » Et il envoya un long crachat atterrir sur ma moquette. Mlle Babylisse rajusta sa perruque blonde et menaça Pléthore : « J'interdis à Ève-Marie de copier ton égoïsme occidental, vu ? » Puis ils éclatèrent de rire et s'étagèrent partout : « On veut écouter la suite de notre roman ! »

Tandis que certains vidaient mon frigo, que d'autres enfumaient mon salon, je sortis mes feuilles graisseuses et lus. Je tremblais à l'idée de ce que Pléthore penserait de mon livre. De temps à autre je lui jetais un coup d'œil. Ses mains soutenaient ses tempes, l'expression intériorisée comme la célèbre sculpture du *Penseur noir* et rien dans cette attitude ne trahissait ses émotions. Quand je me tus, il se leva et s'exprima en ces termes :

– J'aime que la poésie soit poétique, que la prose soit prosaïque !

– Que veut dire ce charabia ? demandèrent les nègres, les sourcils relevés.

– J'arrête d'écrire, expliqua Pléthore. Il ne peut pas y avoir deux écrivains dans la maison !

Les nègres poussèrent des cris d'orfraie et

s'éparpillèrent annoncer la nouvelle dans Belleville : « Ève-Marie a vampirisé son mari jusqu'à lui prendre son cerveau ! » Entre deux brochettes de viande et deux tais-toi de vin de palme, ils ajoutaient : « Ève-Marie ? Vous la connaissez pas vraiment, vraiment ! C'est une sorcière ! » Certains m'avaient vue de leurs propres yeux me transformer en chauve-souris ou en crapaud ; d'autres m'avaient vue en gorille. Les gens me regardaient de biais et ceux qui n'avaient jamais prié s'agenouillaient et se signaient. Des mômes se cachaient sous les jupes de leurs mères et leurs pères m'envoyaient des insultes mordantes. Mme Lobé, une vieille Africaine qui n'était pas sortie de sa chambre depuis deux mille cinq cent soixante jours, ramassa ses béquilles et me persécuta. Partout où elle me croisait, ses mains tremblaient et elle agitait des gousses d'ail sous mon nez : « Fous le camp, Satan ! » Elle renversait sur mes vêtements des récipients remplis de plantes pourries. « Sors de ce corps, Belzébuth ! » crachouillait-elle.

Des blancs se penchaient à leurs fenêtres et applaudissaient. Les nègres ne me fréquentaient plus. J'étais isolée. Je m'appauvrissais. Seul le docteur Sans Souci venait encore : « Que de superstitions ! » Il me serrait sur son cœur, gentiment fraternel : « Toute façon, t'as encore de jolis restes. » Il s'écartait et me détaillait : « Trente pour Cent sera heureux de t'accueillir ! »

A ces mots, les épaules de Pléthore s'arrondissaient telles celles d'un vieil hippopotame. Ses yeux s'injectaient de laves. Il se ruait sur lui comme un rhinocéros blessé :

– Jamais, tu m'entends ? C'est ma femme !

– La mienne vit bien au bordel ! affirmait-il en grattouillant ses morpions. Et j'en suis bien aise.

– C'est ton histoire et ton choix. Tant que je suis vivant, je me battrai pour le bien-être d'Ève-Marie.

Cette phrase me gonflait d'amour et de fierté. J'avais l'impression de retourner aux époques paléolithiques où des hommes kidnappaient des femmes, les nourrissaient de singes crus, des restes dédaignés par les fauves, de crustacés, jusqu'à ce qu'elles se persuadent qu'ils leur offraient la belle vie. C'était pathétique et le docteur Sans Souci prenait la poudre d'escampette.

– Tant pis pour vous ! grognait-il.

Je ramassais mes feuillets et mes yeux s'emplissaient de larmes. J'écrivais et Pléthore poireautait. Un matin, le soleil s'appuya sur ma silhouette, cambra mes reins et Pléthore me croqua. Il agita le dessin sous mon nez : « C'est toi, ma chérie ! T'es magnifique ! »

J'étais perplexe. Cette femme aurait pu être moi ou n'importe quelle Vénus hottentote, mais Pléthore disait qu'elle me ressemblait et c'était moi. Dès lors, il me dessina partout : devant ma feuille blanche où j'achevais de me décomplexer ; vêtue de boubous aux couleurs d'oiseaux pendant que j'écrasais des arachides et même couchée nue sur le canapé. « Ah, ah ! nous serons riches, beaux et célèbres ! » dit-il le jour où il réussit à fourguer un croquis à un juif du Sentier qui fantasmait sur le fessier nègre. Ses yeux luisaient comme des lucioles et des tics de bonheur parsemaient son visage : « Tu verras, mon amour, *je t'offrirai des perles de pluie venues de pays où il ne pleut pas !* » Il était si naïvement imbécile qu'un peu plus, je

190

lui aurais acheté un Trivial Pursuit ou une voiture en plastique.

Côté voitures en plastique justement, Flora-Flore s'en acheta des minuscules. Nous nous postâmes aux aguets, un peu comme des chasseurs de gibier. Je grattai le plancher des pieds pour annoncer l'arrivée de Jean-Pierre Pierre et Flora-Flore courut disposer les voitures le long des escaliers. « Tu penses qu'il va tomber dans le piège ? » me demanda-t-elle, essoufflée. Je haussai les épaules : « Va savoir ! », parce que notre méthode n'était pas assez radicale pour se débarrasser d'un ennemi de la taille de Jean-Pierre Pierre. « Fallait engager un tueur à gages », murmurai-je à Flora-Flore. Elle me fit remarquer que c'était déjà un premier pas et j'espérai que d'autres suivraient. Je n'avais jamais tué un homme et ce fut chose difficile. Mon cœur battait à rompre ses cordages. Je transpirais abondamment. Mille scénarios catastrophiques avec arrestation et juges aux assises, m'assaillaient. Quand Jean-Pierre Pierre entreprit de grimper les marches, je me précipitai : « Monsieur ! Monsieur ! » Flora-Flore me suivit aussi et cria : « Qu'est-ce que tu fabri-

ques, Ève-Marie ? Tu vas tout faire échouer ! »
Grâce à nos hurlements ou à cause d'eux, Jean-
Pierre Pierre marcha sur une voiture. L'instant
d'après il glissait, roulait comme une quille,
rebondissait sur chaque escalier et se retrouvait
à l'étage en dessous.

— Tu crois qu'il est mort ? me demanda
Flora-Flore, terrifiée.

— Avec la mauvaise graine, qui sait ?

Nous avons rejoint notre victime, craintives
comme si chacun de nos gestes risquait de
le ressusciter. « Je crois que oui », dis-je en
voyant sa figure blême et ses yeux clos, sans
vie. Le visage de Flora-Flore vira au vermillon :
« Qu'est-ce qu'on va faire ? » Elle serra ses phalanges si fortement qu'elles blanchirent. Une
voix d'outre-tombe la ramena à la réalité :
« Aide-moi à me relever, pauvre sotte ! »

C'était Jean-Pierre Pierre qui déjà se remet-
tait sur ses grandes jambes. « Tu m'as fait une
de ces peurs, mon amour », dit Flora-Flore en
comprimant sa poitrine, émue. Il la bouscula,
vérifia l'état de ses dents de loup, de ses yeux
gris de léopard, de ses moustaches noires, de
son crâne. « Je pense que je me suis cassé un

bras », dit-il en grimaçant de douleur. Puis, sans un mot, il quitta l'immeuble à longues enjambées.

Flora-Flore perçut ce départ précipité comme un adieu et elle me lança un regard d'appréhension :

— Tu penses qu'il se doute que... ? Oh, mon Dieu, s'il le savait, qu'est-ce que je vais devenir ?

Telle une ombre, je glissai ma main dans la sienne et, comme nous ne pouvions commander à nos jambes, je dis la chose qui me passait par la tête :

— Nous avons intérêt à prier.

Je retins ma respiration et je me signai :

— Que le Seigneur soit avec nous, *amen* !

Alors seulement nous avons décollé et je me suis cuirassé le cœur. Je me sentais capable de broyer un martin-pêcheur, de le manger avant même que toute vie ait déserté ses veines.

— La mauvaise graine ça se coupe pas, dis-je. Ça s'arrache !

Au moment de nous séparer, je maîtrisai le tourbillonnement de mon sang :

— Nous avons agi comme des chiens de garde sans dents. La prochaine fois...

Il y eut d'autres prochaines fois qui échouèrent comme nos vies dans des flaques sans destin. Il y eut des morceaux de piment dans sa soupe qui lui refilèrent quelques diarrhées, des jus de gingembre à fortes doses qui le firent souffrir de priapisme sans provoquer la mort par arrêt cardiaque que nous escomptions. Flora-Flore arriva chez moi en marchant les jambes écartées comme un bébé qui porte un amas de couches. « Qu'est-ce qui t'arrive, ma pauvre chérie ? » demandai-je en me précipitant.

— D'après toi ?

Sans rien dire, je fis bouillir des feuilles de manioc. « Il est tout fier de ce qui lui arrive, dit Flora-Flore. Il m'a demandé ce matin de lui préparer encore du jus de gingembre. » Je remplis une bassine et lui fis prendre un bain de siège. L'eau l'échauda, elle hurla en sautillant : « A ce rythme, il va finir par me crever ! »

Il nous fallait un tueur à gages.

J'achevai mon roman et Pléthore en fit des photocopies qu'il envoya à des éditeurs : « Tu verras, ils vont tous te supplier de publier chez eux ! » Il courait dans les cafés et psalmodiait mes extraordinaires talents en latin, en grec et même en chinois. « Qui vivra, verra ! lançait-il. Ma femme est la plus grande écrivaine de sa génération. » C'était un séisme et les gens s'ébrouaient, sceptiques : « Personne y voudra d'elle ! » Ils allumaient des cigarettes et plaçaient leurs esprits à la clarté des réalités du déterminisme social. « Ève-Marie est la fille de personne, alors ! » disaient-ils parce qu'ils savaient que je n'appartenais pas à ces mondes où se délivraient les autorisations pour être ou pas une femme ; à ces univers qui donnaient des directives de comment devraient ou pas

s'inventer des choses ; à ces milieux qui déterminaient ce qui était nécessaire ou pas et qui
s'attaquaient à ce qu'ils jugeaient impropre au
bien-être social. Je me souciais de ces galaxies
autant que d'une indigestion présidentielle.
J'étais convaincue que je n'avais pas besoin des
petits puissants terriens pour survivre, penser
et faire ce que je jugeais bon pour mon existence. « Le plus grand chef perd ses pouvoirs
si tu décides qu'il n'en possède pas », avait coutume de dire ma mère. Et aussi : « L'autre n'a
sur nous que le pouvoir que nous lui accor-
dons. » Et comme je n'accordais aucune
importance aux grands de ce monde, je
m'allongeais sur mon canapé et contemplais les
lézardes au plafond.

— Qu'est-ce qui se passerait si je mourais, là ?
demandai-je à Pléthore.

— Je t'accompagnerais.

Il devenait difficile de respirer parce qu'entre
nous ce n'était plus une question de baiser ou
de s'incliner devant la bienséance sociale.

— Ne fais jamais ça ! lui dis-je. Il n'y a pas
encore de cercueils à deux places.

— Toute façon, jeta Pléthore, t'as écrit, donc tu ne mourras pas !

Sans doute, mais les réponses des éditeurs tardaient à venir. Au fil du temps, notre détermination se cassait. Nos rêves se brisaient en intrus parmi la race humaine. Pléthore ne vantait plus mes exceptionnels mérites. J'eus l'impression que son volume s'amenuisait et que je me dissolvais dans le néant. Très vite nous ne sortîmes plus au soleil parce qu'il n'y avait pas d'univers à nous, là, à l'extérieur. J'appris par échos que le sida tuait l'Afrique, que la Chine écrasait le Tibet, que l'Amérique préséançait des débauches, qu'au Rwanda des frères se saccageaient les tripes. Nous mangions des conserves. Des sacs-poubelles s'amoncelaient, la vaisselle aussi. Blattes et cafards se coursaient dans la cuisine et cette puanteur nous rassurait. Nous dormions jusqu'à des midi et tournions en rond jusqu'à ce que des épinoches de lumière dévorent les journées. Quelquefois je me mettais cul en l'air, Pléthore me regardait et la tristesse se fracassait.

Un matin, j'entendis des hurlements. On eût dit une poule qu'on égorgeait. Les cris

197

étaient si perçants que je me dressai sur mon séant et ouvris la fenêtre. Ce que je vis dressa mes poils comme les arbres d'une forêt. Flora-Flore était nue dans la cour. Sa peau crayeuse absorbait la lumière comme les pieds d'un fraisier. Ses cheveux cascadaient en boucles sur ses épaules. Elle marchait à genoux sur le bitume et ses fesses tressautaient. Ses bras étaient levés au ciel telle la Vierge suppliciée : « Je t'en prie, Jean-Pierre, t'en va pas ! » Elle tenta d'attraper le bas de son pantalon. D'un coup de pied sec il l'envoya échouer, les jambes en l'air. « C'est notre bébé que je porte ! » hurla-t-elle en se remettant presto sur ses genoux. Les voisins étaient attroupaillés aux fenêtres et regardaient. Pas un ne parlait, du moins pas dans un langage compréhensible. Seuls les yeux disaient : « Elle est devenue folle ! » et : « Seigneur, épargne-moi de ces amours qui tuent ! »

J'enfilai une robe de chambre. « Te mêle pas de ça », dit Pléthore tout occupé à penser à notre avenir : « On a assez de problèmes à résoudre ! » Et parce que je ne croyais plus que le prochain lever de soleil valait la peine, qu'un bout de temps en plus changerait quelque chose, je descendis et saisis Flora-Flore à bras-le-corps.

– T'agenouille jamais devant un homme, ma fille ! lui dis-je. Sauf devant Dieu !

Aucun chien n'aboya, mais j'entendis des tourterelles. Les voisins se contentèrent de respirer bruyamment. Je la recouvris d'un pagne et l'entraînai chez moi. « Il faut savoir s'arrêter », dis-je. Malgré la chaleur extérieure, elle tremblait. Je lui enfilai un peignoir et peignai ses cheveux où le soleil faisait danser des reflets auburn et roux. « T'es belle ! Un autre homme t'aimera ! » Elle ne bougea pas et des larmes dansèrent à ses paupières. Subrepticement elle se mit à chanter dans une langue que je ne comprenais pas. J'en déduisis qu'elle chantait les cimetières et les morts, l'enfance perdue, l'amour imaginé, les femmes battues et les bébés qui connaîtront les souffrances de ce bas monde. Pléthore qui en avait assez de briser la tête des riches et des éditeurs – il les avait étripés au fil des semaines si radicalement qu'il lui fallait sans cesse les ressusciter pour mieux les tuer une fois de plus – quitta la pièce et la porte d'entrée s'ébranla. Il rentra au moment où je sortais de la cuisine, un plateau de thé dans les mains.

– On a gagné ! hurlait-il en agitant une lettre. On a gagné !

Pléthore me présenta la lettre et mon plateau se fracassa sur le sol. Le thé pouvait s'en aller alimenter la mer ! Parce que désormais personne ne pourrait loucher vers moi et brailler : « T'es la fille de personne ! » Que cela plaise ou pas, sacré Dieu d'enfer !

Madame,
Nous vous remercions de nous avoir soumis votre manuscrit.

Malheureusement, malgré son immense intérêt, il ne nous est pas possible d'en envisager la publication du fait de notre programme surchargé.

Vous souhaitant bonne chance, nous vous prions d'agréer, Madame, l'expression de nos sentiments distingués.

A.A. Grand éditeur de France.

Dès que j'eus achevé ma lecture, l'espoir renaquit dans les yeux de Flora-Flore : « C'est merveilleux ! s'exclama-t-elle. C'est magnifique qu'ils aient pris la peine de te répondre. Sûr qu'ils vont te publier le jour où ils auront un programme moins chargé. » Elle me serra sur son cœur et ses chairs palpitèrent comme des ailes d'oiseau : « C'est magnifique ! Tu es vraiment une femme hors du commun ! » Pléthore hocha la tête comme pour chasser de son esprit les toiles d'araignées : « Suffit d'attendre que leurs programmes se déchargent », dit-il.

Les nègres qui m'avaient fuie pour sorcellerie effacèrent le passé et rêvèrent de l'avenir. Ils s'amenèrent dans une lente traînasserie comme s'ils marchaient dans des zones marécageuses. « Cela fait longtemps qu'on s'est pas vues, ma chère ! » me dit Babylisse en lissant sa perruque blonde. Elle regarda autour d'elle, hésitante... Elle s'enhardit lorsque la communauté, depuis les bébés qui rampaient jusqu'aux vieillards dont les cheveux cotonneux voltigeaient déjà dans les tombes, arriva à son tour. « Tu nous as beaucoup manqué ! » dit-elle. Les autres reprirent en concert : « T'es notre sœur et tu nous as beaucoup, beaucoup manqué ! » Puis ils mâchèrent du cola et se curetèrent les dents. Ils parlèrent du soleil et de la mer, tournoyèrent autour du pot comme des chiens autour d'une marmite de cabri. Ce fut le tirailleur Bassonga qui prit les chèvres par les cornes et les mena brouter.

— Sais-tu que s'il y avait eu dix femmes comme toi, dit-il en tirant sur les bretelles de son pantalon, l'Afrique n'en serait pas là.

Tout le monde acquiesça, j'attendis la suite.

— C'est vrai, quoi, continua-t-il. Nous serions aujourd'hui un peuple respecté et craint par le concert des nations. Nous n'aurions pas écrit au roi de France, aux rois des Belges et d'Espagne, traduit les Saintes Écritures, résisté aux colons, chassé les cannibales et tout cela en pure perte !

Tout le monde applaudit, j'attendais encore la suite.

— Tout cela pour te dire mille bravos pour ton excellentissime travail, au nom de toute l'Afrique, je vous remercie !

Il n'y avait plus rien à attendre et je crus que je pleurais. J'avais les lèvres entrouvertes et il y

202

eut un bruit colossal. Je touchai mes joues, elles étaient sèches. C'étaient mes compatriotes qui descendaient les escaliers chuintants, se mettaient en rang deux par deux comme des élèves devant la classe : « On a gagné ! » Je n'eus pas le temps de me retourner qu'ils ajoutèrent : « On a gagné ! »

Il n'y avait rien à faire d'autre, sinon se briser comme eux les os des pieds à courailler le quartier et à brailler sous les fenêtres et dans les arbres : « On a gagné ! » Les oiseaux s'envolaient sur notre passage. Les feuilles nous guidaient et les Français qui adoraient les matches de football agitèrent leurs drapeaux tricolores : « On a gagné ! » M. Michel, qui m'avait sautaillée en d'autres temps, posa ses mains sur ses hanches et nous toisa :

– Franchement, une ancienne pute noire qui se prend pour Gobineau ! Où va le monde, hein ?

– Au paradis, mais sans toi ! lui lançai-je.

Au café Les Belles Parisiennes, M. Trente pour Cent ergota comme un coq. « Tous les chemins mènent à Rome », dit-il aux filles vêtues de tutuffes de pommier, de magnolia, de cerisier gommeux, de noyer et de figuier. « Et celui que vous prenez là... » Il n'acheva pas sa phrase, m'exhiba comme un trophée de guerre. « C'est une ancienne de la boutique ! clama-t-il. Elle est maintenant cousue de diamants ! » Et pour cela, il fallait faire confiance aux riches, aux pauvres, aux prostituées, aux maquereaux, à Dieu, au diable, à la pluie, à l'obscurité. A l'écouter, la bonne graine poussait partout. Et mes protégées quémandaient : « Tu penses qu'on s'en sortira, un jour ? » Je n'y croyais pas et ne fis qu'une seule chose : sourire et regarder alentour.

C'était bon. Bon et juste. Alors que mon maquis redémarrait, que Pléthore me croquait, que des nègres m'accompagnaient dans la réussite littéraire, qu'ils mâchouillaient du cola, buvaient du vin de palme pour tuer ce qu'il leur restait à vivre, je me sentais grande, grande et large, capable de nicher toutes les émotions dans mes bras. Parce que c'était moi, la femme, la pute, la noire qui avait réussi cet exploit, que l'idée d'écrire était née de mes sens, de mes tripes, de mon cœur, de ma tête, sortie toute seule, pas par accident, mais de moi. C'était un égoïsme humaniste qui m'incitait à aimer l'enfant de Flora-Flore alors que je ne le connaissais pas.

Flora-Flore, justement, chambardait la maison. Ce n'était plus le royaume des fourmis, des scarabées, des cloportes, mais des grandeurs, des soleils, des lunes, des étoiles grosses comme des plats et des châteaux en Espagne. Nous ne parlions plus de Jean-Pierre Pierre et des moyens de le tuer. Je ne l'interrogeais plus sur Mlle Personne qui n'était finalement personne. Quelquefois, nous nous asseyions sur le balcon et tricotions de minuscules chaussettes, de minuscules bonnets et des moufles tout aussi minuscules. Babylisse nous apportait des brassières, des crapautières et des couches. « Faut être dingue pour faire un enfant à notre époque ! » disait-elle, et on pouvait se moquer d'elle à gorge déployée, parce qu'avec neuf mômes... Elle sautait du coq à l'âne. « Ton ventre est bien pointu devant, disait-elle, certain que c'est une fille ! »

Je me taisais parce que cette situation mettait en exergue mes propres manques et les comblait. Je n'avais aucun conseil à donner à Flora-Flore tant ma propre stérilité m'épuisait littéralement. Mais la confusion, l'osmose et l'amour total dans lesquels nous vivions, Pléthore et moi, me donnaient l'impression d'attendre un bébé. Il m'arrivait d'avoir mal aux reins, de sentir mes pieds lourds, d'avoir des nausées et d'éprouver une envie incessante de me libérer la vessie. « T'es enceinte, toi aussi ? » ricanaient les nègres. Ils pataugeaient vers Flora-Flore : « Ève-Marie est toujours foutue dans ton dos ! Sûr que ton fils va lui ressembler ! » Et des jours comme celui-ci, où Pléthore parlait de la sécurité de l'enfant à naître avec une scie à la main — « Si ce Jean-Pierre Pierre l'embête encore une fois, je le trucide ! » —, j'en étais bouleversée.

— Faut faire attention à l'amour, lui dis-je un après-midi pendant que je retournais un rôti. Il peut être lourd à porter et faire très mal !

— Tu trouves notre amour lourd, toi ?

— Le nôtre est presque réussi. Mais c'est la façon dont tu te passionnes pour l'enfant de

Flora-Flore. Ça pourrait te broyer l'os de la hanche, lorsqu'elle partira.

Une forêt de lianes nous sépara et il sortit en claquant la porte. Plus tard, assise devant la télévision, je fus moi-même surprise par la dissonance de mes pensées. Pourquoi lui avais-je parlé ainsi ? Était-ce dû à mes inquiétudes d'épouse ? A mes ardeurs de femme ? A la jalousie ? A mon incapacité à procréer ?

Cela n'empêcha pas ceci qui se passait presque toutes les nuits closes. Flora-Flore pouvait aussi bien pleurer dans le noir, ou se lever et arpenter la maison de long en large, ou encore exiger que je lui raconte une histoire. Ce soir-là, juste avant qu'elle ne s'endorme comme un morceau de bois et qu'elle n'envoie en l'air son haleine chaude, elle me demanda :

– T'as des nouvelles d'Océan ?

– Océan n'est pas une histoire à faire circuler, dis-je. Oublie-le.

– J'ai vraiment, vraiment envie de le revoir, insista-t-elle.

– Bien, dis-je.

Bien, dis-je, tout simplement parce qu'il fallait la satisfaire pour ne pas contrarier le

207

bébé. Bien, disais-je, lorsque, à table, Flora-Flore s'enfournait le meilleur morceau de poulet ; bien, dirais-je encore, lorsqu'elle choisirait mon plus joli ruban pour ses cheveux ; bien, dirais-je toujours, pour apaiser son cœur triste afin que son ventre s'exalte, virevolte et donne Jésus.

Je savais que le monde appartenait aux hommes, le ciel, la terre, les étoiles, mais jusque-là ce n'était qu'un point de vue de l'esprit. J'arrivai rue Sainte-Croix-de-la-Bretonnerie et crus m'être trompée d'univers. Des hommes piétinaient sur les trottoirs par grappes entières : des beaux, des vieux, des jeunes, des laids, des poltrons, des entretenus, des indisponibles, des grands, des chauves. Ils étaient cristallisés autour des plaisirs partagés et des complicités impudiques. Certains, castrés des couilles, portaient jarretelles et froufrous dentelés. Ils étaient maquillés mieux que des putes et leurs cuisses musculeuses avaient de quoi tracasser la folie d'une femme couverte de cellulite.

Je marchais vite, m'excusant presque de me trouver sur un territoire protégé. Ils ne se préoccupaient pas de moi. Un néon lumineux *Chez Katti Kate* accrocha mes pupilles et j'y pénétrai. Il y faisait sombre. Des hommes buvaient de la bière au comptoir avec des mines de chattes de gouttière. D'autres évoluaient sur une piste, collés-serrés. Ils s'entredraguaient sans drame, comme si l'amour était sans gravité, un jeu de récréation aux plumes d'anges. Devant eux si légers et si beaux, je me sentis plus grosse que nature et balourde dans mon jersey jaune. Je pivotai, prête à talonner jusque chez moi, lorsqu'une voix m'interpella et je la reconnus :

– Petite femme d'Afrique !

Océan était là, à luminer dans une robe noire à perles blanches. Des rivières de faux diamants descendaient bas sur sa poitrine. Deux boucles scintillaient à ses oreilles et je pensai aux pharaones d'Égypte. Rien qu'à le voir on savait que malgré tout ce que la pensée exclusive pouvait dégoiser sur la question, il avait rassemblé tous les morceaux de lui qui étaient bons, précieux et beaux, les avait traînés dans ce bar, poussés dans ce dancing-bar, loin de l'Afrique et de ses interdictions, loin des frontières où se chuchotaient des « T'as vu machin ? » et des « Qu'est-ce qu'on dira ? » Il me serra contre son cœur et je compris combien je l'aimais.

— J'ai beaucoup pensé à toi, petit rêve d'Afrique, murmura-t-il à mon oreille. Viens, viens, on va s'asseoir.

— Non, merci. Il faut que je parte.

Il me détailla et ses yeux se plissèrent :

— Cet endroit ne convient pas à Madame la princesse de Clèves ?

Furieux, il m'entraîna dans la foule et retroussa ses lèvres : « Ces gens-là sont des êtres humains comme toi. » Il me précipita sur un couple qui buvait du gin-tonic et se bécotait : « Ils respirent le même air que toi ! » Il avisa un homme malingre chaussé de lunettes de soleil et au nœud papillon rouge : « Dis-lui, mon Richard que t'es pédé mais que tu manges, dors et trimballe tes petites misères de la même manière qu'elle. Va, dis-lui ! »

Richard caressa sa moustache et fit : « Hum, hum ! » Il me regarda de haut en bas, croisa ses bras et nargua Océan : « T'as changé de goûts, mon Océane ? » Celui qui l'accompagnait dit : « Voilà pourquoi on l'a pas vu depuis deux jours ! » Autour de nous, on écartait son chacun pour contempler une pauvre négresse sortie de sa brousse et qui n'avait rien compris à la vie, aux instincts et aux amours. J'avais honte jusqu'aux coins de mes lèvres. D'ailleurs elles frémissaient, s'étiraient et lâchaient : « Y a quand même pas de quoi arrêter le monde ! » Et je frappais dans mes mains, parce que j'étais minoritaire dans cet univers, qu'il fallait y faire quelque chose que ces hommes trouveraient intéressant, méritant qu'ils se suçotent les gencives quelques minutes : « Allez, en piste ! » J'attrapais les gens et eux, effrayés par une femme au milieu des giboulées d'étoiles luminescentes, se laissaient faire : « On danse ! » J'entonnai un *Happy birthday to you* qui surprit tant l'auditoire qu'il se joignit à moi, par automatisme. « C'est l'anniversaire de qui ? » demandait-on. Je m'agitais, fière comme un soleil. « C'est le mien ! » mentis-je.

Les voilà qui, sans me connaître, se précipitaient et m'embrassaient : « Joyeux anniversaire ! » J'enlaçais leurs sueurs d'hommes en marginalité. Ils reculaient de trois pas : « Comment t'appelles-tu, encore ? » Je croisai mes mains en collégienne timide : « Ève-Marie ! » Le temps se suspendait, plein de luxe. « Pas mal du tout, me dirent-ils. Moi, c'est Akhéna-ton ! », ou encore : « Moi, c'est César ! » Et quand l'un d'eux, attifé comme une sorcière bien-aimée, me tendit ses mains aux ongles longs et me dit : « Je suis la reine cupide ! », je ne pus m'empêcher de lui demander : « C'est où ton royaume ? » Il se retourna d'un bloc, souleva sa robe en strass et me montra son trou du cul : « C'est là ! »

L'humanité présente éclata de rire, eut mal aux côtes et tout redevint rouge. Des bouteilles de champagne pétaient et ruisselaient. On pleuvait sa sueur à secouer son envie sur la piste. On retournait la nuit, à droite-gauche, en haut-bas ! Les couples se détruisaient et se reconstituaient au hasard d'un léger cligne-ment de derrière au bon moment, de la posi-tion la mieux travaillée à l'instant capital ou du slow langoureux qui permettrait de se pen-dre corps à corps.

Je m'assis en face d'Océan, commandai un Coca que je ne bus pas. La boisson se découragea et perdit ses bulles. Océan lampa une gorgée de soda vodka et alluma une cigarette. Il s'entoura d'une volute de fumée, puis l'écrasa, rageur. Il se pencha brusquement vers moi, découvrant ses seins naissants.

— T'as pas fait tout ce chemin pour un Coca, n'est-ce pas ? Je t'écoute.

— T'es heureux ? demandai-je.

— Je vieillis.

Un sourire naquit sur ses lèvres sans s'épanouir. Il navigua sur sa bouche, triste et solitaire, tandis que ses yeux se promenaient insolites sur la salle.

— Je n'ai pas besoin de te le dire, mais j'ai été heureux chez toi.

Il se prit le visage à deux paumes comme s'il en avait besoin pour rétablir une vérité essentielle :

— J'ai même cru que j'arriverais, grâce à toi, à devenir « normal ». Au lieu de quoi, je ne suis qu'une vieille tantouze de trente ans !

Il éclata de rire. Mes vertèbres explosèrent et je l'interrompis.

— Cesse de te torturer, fis-je. Il y eut un

moment où le Christ lui-même lâcha prise et dit : « Que votre volonté soit faite, Seigneur ! »

– Alexandre est tellement amoureux de l'apparence du monde qu'il a préféré m'abandonner, dit-il.

Puis il sortit sa flûte et la porta à ses lèvres. Je compris qu'il restait en vie pour jouer ces mélodies et échapper à la conscience de l'échec des choses. Je me levai.

– Ah, j'oubliais... Flora-Flore est enceinte. Ça lui fera plaisir de te voir.

– Je ne suis pas pressé de la revoir.

Je revins sur mes pas parce que, douleur dans la poitrine ou pas, Océan avait réintégré son monde, le monde de ceux qui ne comptent plus. Il appartenait à cette catégorie humaine sur laquelle on ne peut pas fabriquer des contes, les enjoliver et les raconter aux enfants.

Je revins à Belleville avec des mensonges à caqueter : « Je ne l'ai pas vu » ou encore : « Il ne va plus là-bas ! »

C'était compter sans l'insistance de Flora-Flore : « T'as trouvé personne qui aurait pu te renseigner ? »

C'était compter sans ses larmes : « C'était le seul homme sur lequel je pouvais reposer ! »

C'était compter sans le mensonge lui-même, qui se fait oublier une fois énoncé et vous pousse à raconter son contraire l'instant d'après.

En cette fin d'après-midi, le soleil déclinait doucement. Sans disparaître totalement, il dansait sur les feuilles aux couleurs éclatantes que les insectes adorent. Assises sur le balcon à côté de Flora-Flore, nous tricotions des écharpes jaunes à taches beiges pour éloigner le mauvais œil et vert-rouge-orange pour attirer les énergies positives. Dans le jardin de Belleville, des femmes braillardes interpellaient leurs mômes comme des poules. *Cotcotcot* : « Où es-tu, Inès ? » *Cotcotcot* : « Viens ici ! » *Cotcotcot* : « Il est temps de rentrer ! » Des négresses bouboutées portant bébés dans le dos rentraient chez elles, épuisées de soleil. De temps à autre, elles levaient leurs têtes : « Alors, Ève-Marie, où en est notre roman ? » Je souriais. « Oh, le temps qu'ils déchargent un peu leur programmation », disais-je. Puis je ruminais en moi-même : « Dire que ces blancs pensent que ce sont les nègres qui n'ont pas la notion du temps ! », et nous reprenions nos ouvrages.

Sans crier gare, la pluie se mit à tomber, une pluie de juillet, pleine de ces espoirs qu'elle ne saurait combler.

— Sûr qu'il n'a pas changé, Océan, me dit soudain Flora-Flore.

— Bien sûr qu'il a changé ! fis-je.

Fut-ce quelque chose dans ma voix qui l'interpella ? Une intonation, peut-être ? A moins que ce ne fût une déduction logique de mes paroles. Précipitamment, Flora-Flore lança ses ouvrages de tous côtés. Elle se redressa et son gros ventre me fusilla : « Comment sais-tu qu'il a changé si tu ne l'as pas vu ? » Elle jeta sa tignasse en arrière et me doigta : « Menteuse ! Depuis le début, je sais que tu me mens ! »

Les mots restèrent collés dans ma gorge et j'observai son visage en disant non de la tête. Non à ses lèvres et à tout ce que son corps exprimait. Non à mes propres mots qui n'étaient pas tombés dans les oreilles d'une

217

sourde comme ils auraient dû. Quand elle se mit en esprit de casser mes assiettes et mes verres, je consentis à regarder la nature du péché derrière moi.

— Tu veux savoir ce qu'il pense, vraiment ? demandai-je en la saisissant à bras-le-corps et en l'obligeant à s'asseoir.

Je raclai ma gorge, un chat miaula et je dis :

— Il n'est pas pressé de te voir.

Colère et couleur disparurent de ses yeux. J'eus l'impression d'être en présence d'un poisson mort. Elle se mit à dessiner des cercles avec ses pieds, comme s'ils pouvaient définir sa géographie émotionnelle et la protéger de la souffrance. Quand elle en eut assez des va-va-vient-vient, elle dit :

— Faut que j'aille me reposer. Je suis fatiguée.

Cette nuit-là, les nègres s'amenèrent chez moi et Flora-Flore resta enfermée. Ils jouèrent du nvet et mangèrent tant de maïs grillé qu'ils envoyèrent des pets joyeux : « C'est vraiment l'Afrique, chez toi ! » Puis : « A quand le livre ? » La réponse ne m'appartenait pas et je choisis le silence d'un haussement d'épaules : « Sais pas ! » M. Rasayi, héritier de droit de l'Académie française, dit : « Comment voulez-vous qu'ils la publient alors qu'elle n'a même pas utilisé l'imparfait du subjonctif ? » Des gens le huèrent et le griot frappa ses paumes l'une contre l'autre :

Il était une fois...

Pendant qu'il nous transportait dans les savanes chaudes où des gazelles perdaient leurs bébés, des lionnes vengeaient leurs maris et des éléphants épousaient des grenouilles, Pléthore croquait la scène. Je vis sur le papier nos yeux fascinés, nos langues haletantes et des gouttes de sueur qui perlaient de nos fronts. « C'est parce que l'Afrique n'a pas consigné son savoir qu'elle est en retard sur les autres puissances, constata-t-il. La vraie lutte n'est pas économique, mais littéraire ! » Je ne voulais pas entendre ces paroles parce que j'avais peur qu'elles changent mon esprit ou l'emmêlent. J'avais déjà eu assez de mal à ne pas oublier ce que je savais de l'Afrique, de ses contes, de ses superstitions et de ses langues pour m'embarquer dans des réflexions nouvelles. Je n'avais qu'une hâte : m'allonger et songer aux arguments à dévider à Flora-Flore pour la faire revenir à de meilleurs sentiments. Au lieu de quoi je m'endormis, et au matin, le soleil m'agressa. J'amassai du courage, me précipitai dans sa chambre. Devant son lit vide, je couvris mes gencives de ma langue : « Flora-Flore ! » Je courus dans la cuisine, dans la salle de bains, elles étaient vides.

Angoissée, je préparai le petit déjeuner. Il me fallait réfléchir à ce que je lui dirais lorsqu'elle reviendrait. Je battis quatre œufs et les fis frire avec des morceaux de jambon. « Elle est aux courses », me répétais-je pour me rassurer. Pléthore surgit dans mon dos, projeta son ombre sur le mur et paniqua mes casseroles :

– Flora-Flore est partie, dit-il.

Je mis de l'eau à bouillir pour le thé.

– Elle est retournée chez son type.

Je sortis des tasses de l'armoire.

– Ils souhaitent qu'on les laisse désormais tranquilles, qu'on se mêle plus de leurs histoires.

Je me laissai tomber sur une chaise et fredonnai quelque chose de doux, une berceuse. Des larmes coulèrent de mes yeux et je ne fis rien pour les essuyer. Parce que ces dernières semaines avaient ressemblé au bonheur, je chantais et maltraitais les mèches de mes cheveux, griffais mon visage. Mon monde se disloquait.

– Ève-Marie ?

Je tournai le cou et regardai la danse du soleil sur les murs lézardés.

– Qu'est-ce que t'as dans la tête, Ève-Marie ? demanda Pléthore. Tu te souviens des dangers des amours trop lourds ? C'est toi qui m'as mis en garde contre ce genre de sentiment.

– Je lui ai tout donné, dis-je. Même mon amour maternel. J'ai envie de mourir.

Il se pencha et me prit la main. De l'autre, il m'effleura le visage :

– Je mourrai avec toi.

– Fais jamais ça, car la chose la plus importante que tu possèdes, c'est ta vie.

Le temps passa et gomma les pas de Flora-Flore dans ma maison, pas son souvenir. Même les danses, les joyeux repas, l'espoir éditorial, les discussions orageuses ou paisibles avec mes Cocontinentaux n'arrivaient plus à éclabousser mes jours de soleil : Flora-Flore me manquait.

— Chasse-la de ton esprit, me conseillait le docteur Sans Souci. Cette fille n'est qu'une ingrate !

— C'est pas la peine de t'attacher à un visage dont tu peux être sûre qu'il ne sera pas à tes côtés au moment de ta mort, disait le tirailleur Bassonga.

— Ces blancs n'ont aucun sens de la véritable amitié, constatait Babylisse.

Pléthore protestait devant ces préjugés. Qu'est-ce qu'un homme, finalement ? Pose-t-il un acte en fonction de sa peau ? Est-il bon ou mauvais en fonction de sa couleur ? Il irruptait, tapait des pieds et sa colère faisait frissonner les murs. Je reconnaissais qu'il avait raison mais, malgré mes efforts, le fantôme de Flora-Flore me persécutait. Il me tracassait à tel point que je me réveillais en manque telle une droguée et m'endormais en disant : « Flora-Flore aime ceci ou cela » ou « Flora-Flore pense ceci ou cela » ! Et comme j'étais décidée à ne pas me contenter de suivre les avis des uns et des autres, je fis de bons plans pour la rencontrer. Je tentais de mémoriser les allées et venues de Jean-Pierre Pierre, ce qu'il faisait, où et quand, le temps nécessaire à l'accomplissement. Je descendis chez elle à plusieurs reprises et sonnai sans succès, à telle enseigne que je me demandais : « Flora-Flore... es-tu toujours vivante ? »

Je trouvais des palliatifs à ma douleur et affublais Flora-Flore de mille défauts : c'était une ingrate ! Une voleuse de mari ! Une assassine de la féminité ! Une rien-du-tout de poussière de bonne femme ! Et je le criais pendant que je servais mes clients : « C'est par pitié que je l'ai récupérée avant que son type lui bousille la gueule ! » Les nègres applaudissaient. « J'aurais pas pu la garder des mille et des cent années durant à mes frais et plaisirs ! Je ne suis pas la soupe populaire, moi ! » Ils applaudissaient encore. Mais le cœur, le mien, saignait et risquait une hémorragie mortelle.

À l'automne, la pluie fit payer au beau temps ses outrecuidances de l'été. Il pleuvait et je marchais sans voir la danse des ondes glaciales dans l'air ni ressentir leurs couperets sur mes oreilles. Dans les fermes perdues de France, on soignait les bêtes. En Afrique, les poules abandonnées à elles-mêmes appelaient leurs petits et grattaient le sol à la recherche de quelques vers. J'allais au marché. Des feuilles battues par les vents couraient, affolées. Je m'attendais à plus jamais revoir Flora-Flore de ce monde. Soudain je vis, venant en sens inverse, une femme sans âge qui poussait un landau. Elle portait un long manteau gris qui affaissait ses épaules. Ses cheveux noirs étaient ternis. Sa peau blanche ressemblait à du vieux linge. D'énormes cernes entouraient ses yeux, mais ce regard était celui de mon amie.

– Flora-Flore ? dis-je.

Le temps que mes orteils sentissent sa présence, elle s'éloignait. Je fendis la foule, bousculai une vieille dame à cabas. « Tu peux pas faire attention, non ? » brailla-t-elle. Je m'excusai à peine. « Avec les lois libertaires, maugréa la vieille, ces hommes de couleur se croient tout permis ! »

– Flora-Flore ! criai-je.

Alors elle s'arrêta. Elle cassa son cou et une multitude de plis y apparurent. Elle scruta lentement la terre à ses pieds.

– Qu'est-ce que tu veux ? demanda-t-elle.

– Je peux voir le bébé ? Comment s'appelle-t-il ?

– Edgar.

Je me penchai parce que depuis que j'étais née, je n'avais jamais éprouvé une urgence aussi irrépressible. Autour de moi les voitures passaient, les gens s'engueulaient : « Pourris ! Voleurs ! » Et je les entendais comme on écoute la pluie, vaguement. C'était un instant aussi éclatant que les rubans de fanfreluches dont je rêvais petite lorsque j'habitais là-bas dans mon village. Mais quand je vis les phalanges du bébé blotti dans les draps fleuris, je crus partir à la renverse.

— Ferais mieux de quitter ton mec avant qu'il te tue, lui dis-je.

Flora-Flore sourit :

— J'ai pas choisi ma naissance. Je peux me permettre de choisir où et quand mourir.

— T'es courageuse, dis-je.

Je regardai de nouveau le bébé et essuyai ma bouche.

— Il est très beau. Mais si jamais Jean-Pierre Pierre...

Je n'achevai pas ma phrase et ajoutai :

— Que ta volonté soit faite, Seigneur !

Je m'éloignai en récitant un Pater Noster. Je pensai à Océan, était-ce possible ? J'avais suffisamment d'angoisses dans la poitrine pour me couper le souffle. Je bégayai en achetant mes tomates tant les mots s'entrechoquaient sous ma langue. La vendeuse me jeta un regard de vache. « Vous êtes sûre que vous allez bien ? » me demanda-t-elle. J'acquiesçai parce que sa question était mue davantage par le désir d'en finir avec moi que par la générosité du cœur. Je rentrai à la maison et ne soufflai mot à Pléthore de ma rencontre avec Flora-Flore. Je pensais à Océan, était-ce possible ? Je respirai trois fois en haut, trois fois en bas, tout cela ne me disait rien qui vaille.

L'automne avança et je réfléchis encore à ce qu'il conviendrait de faire d'Edgar. Après plusieurs jours passés à guetter Flora-Flore, plusieurs jours de soupes à préparer, de manioc à cuire, d'écriture aussi, je parvins à comprendre qu'il valait mieux laisser certaines rencontres derrière soi, que cette conclusion était navrante mais qu'il conviendrait de voir vers le devant. J'en fus si contrite que cela me réussit, et j'en devins fière. Pour fêter mes retrouvailles avec moi, je donnai un festin de maïs grillé qui fit pâlir de jalousie tous les Noëls ; pourtant il approchait.

Les nègres arrivèrent tôt dans l'après-midi et ils pataugèrent dans la neige. Ils étaient enfêtaillés dans de grands boubous parce qu'ici des occasions de manger gratuitement il n'y en avait pas à la brouette. Les hommes se mirent à main gauche, les femmes à main droite. Ils riaient parce qu'il était important de sourire, même quand la vie vous brisait la tête. Je sortis de grandes bassines remplies de succulents maïs qu'on se passa et se repassa tant qu'elles atterrirent vides dans la cuisine. Nous chantions ensemble des bribes de malinké, des bribes de wolof, des bribes d'éton, parce que notre mémoire, au fil de l'exil, s'engourdissait peu à peu. Soudain on tambourina à la porte et des effluves de désapprobation entrèrent par le trou de la serrure. Un grand silence se fit et j'allai ouvrir.

Le visage de Jean-Pierre Pierre s'encadra net, comme une épée dans le soleil. Était-il trop fier ou trop en colère ? Probablement les deux, sinon les chants auraient repris. Ou on l'aurait acclamé, encouragé des battements des mains à prendre place dans l'assemblée. Surtout, il tenait par les deux pieds un bébé, comme on tient les pattes d'un poulet à égorger, c'est-à-dire la tête en bas. Le bébé, qui n'était autre qu'Edgar, gigotait et pleurait. Ses poumons gonflaient pareils à une bouée pneumatique à tel point que je crus qu'ils allaient exploser. Les choses étant ce qu'elles étaient, je m'écartai. Il s'avança, enjamba les gens et se plaça au milieu de la pièce.

Lorsqu'il eut regardé ce qu'il y avait à regarder – M. le docteur Sans Souci et sa femme qui tentaient un rapprochement au corps à corps : « Je te promets que je ne rôtirai plus ton chat », M. le tirailleur Bassonga et Mlle Babylisse qui scellaient la paix, les dizaines de nègres assis en tailleur qui grattaient leurs ennuis en se triturant les oreilles ou en enfonçant des doigts dans leur nez – il posa Edgar sur le plancher, recula de trois pas comme devant un adversaire et déclara :

– Mesdames et messieurs, je voudrais que vous m'informiez d'une chose : cet enfant (il se baissa et souleva les jambes d'Edgar pour nous montrer ses organes génitaux), est-ce un nègre ou un blanc ?

Silence et nègre rotant.

– Ses cheveux (il se baissa et doigta les duvets frisottés d'Edgar), est-ce la chevelure d'un nègre ou d'un blanc ?

– Il peut encore blanchir, dit Mlle Babylisse.

— Peut-être que t'étais noir dans le passé, suggéra le tirailleur Bassonga.

— Un leucoderme peut bien donner naissance à un mélanoderme, dit le docteur Sans Souci. A une condition : qu'un de ses ancêtres, même lointain, soit de race négroïde.

Les veines du cou de Jean-Pierre Pierre gonflèrent comme s'il venait d'avaler une étoile noire. Ses yeux roulèrent dans leurs orbites. Il s'ébroua comme un âne qui refuse d'avancer :

— Il n'y a pas de nègre dans ma famille, vu ? Cet enfant n'est pas le mien !

Il me lança un regard si méchant que je crus qu'il allait faire n'importe quoi : se jeter à mon cou et m'étrangler comme il avait étranglé Mlle Personne ou m'enfoncer un couteau dans le ventre et le faire ressortir dans le dos. Je tremblai tant que j'eus l'esprit vide.

— C'est parce que Flora-Flore a trop vécu avec nous, dis-je. Ça arrive qu'un enfant ressemble à quelqu'un d'autre si sa mère est toujours auprès de cette personne.

Et ce fut une libération. Les nègres se **mirent** à parler tous à la fois. J'entendis l'histoire d'un gorille qui donna naissance à une fillette parce

231

qu'elle vivait avec des humains. On parla d'un couple d'Irlandais qui eut un enfant noir comme minuit. On cita un couple noir avec un enfant métis. On jurait sur la tête de sa mère qu'aucun nègre n'avait été l'amant de Flora-Flore et que, par conséquent, c'était un accident de la nature qui se permettait des caprices. Quand les langues nous firent mal et que nous eûmes épuisé les arguments magico-scientifico-surnaturels, Jean-Pierre Pierre me doigta :

— Vous êtes responsable de ma cocufication légale. A ce titre, je vous lègue cet enfant jusqu'à ce qu'il blanchisse !

Ses bottes claquèrent et il sortit, furieux comme seuls les blancs savent l'être.

Les nègres restèrent silencieux jusqu'à ce que ses pas décroissent le long des escaliers et disparaissent. Dans la pièce, pas une parole, seulement des bourdonnements semblables à ceux qu'émettent des sauterelles lorsqu'elles envahissent les champs de mil.

Aucun mot ne fut prononcé, même lorsque je pris Edgar et le berçai sur mes épaules. Pas même lorsque je déchirai un pagne et lui en confectionnai une brassière. Ni même encore lorsque je l'emmaillotai, courus à la pharmacie et lui achetai lait et biberons. Plus tard ils s'éparpillèrent en s'essuyant la bouche, convaincus qu'un blanc pouvait changer d'avis comme de chemise. « A bientôt, Ève-Marie », me dirent-ils, parce que, si Jean-Pierre Pierre décidait de reprendre Edgar, cela aurait eu pour conséquence de me broyer les os jusqu'à les transformer en poussière : « A bientôt, Ève-Marie ! » Parce que Edgar, sans être mon passé, était déjà mon avenir.

Je restai avec Edgar tandis que les commentaires sur ma maternité miraculeuse grondaient dans les cafés, chevauchaient les alcôves, soupiraient au coin des foyers, sans jamais atteindre les oreilles des vrais Français. D'ailleurs, ils en auraient souri avec mépris parce que ce genre d'histoire était trop banal pour qu'ils aient l'air ne serait-ce que surpris. Alors on n'en parla pas dans les journaux.

Mais, pour nous autres nègres, c'était toute une page de notre vie qui s'écrivait. Qu'une négresse héritât de quoi que ce soit de l'Occident, même d'un grain de sable, était déjà en soi une prouesse ! Mais d'un enfant en chair et en os, aucun soleil ne pourrait en témoigner. J'avais l'impression d'avoir reçu une bénédiction spéciale du Seigneur. Où que je sois, dans la cuisine ou au marché, avec mon Edgar sur mon dos fatigué, je chantais des feuilles, des arbres, des oiseaux du ciel. J'amassais dans ma mémoire des histoires et des contes pour que mon fils s'endorme en riant sur les doigts des étoiles.

Pléthore aussi était heureux. Il était père et c'était une bonne nouvelle. Il ne tenait plus en place avec des « Mon fils » par-ci, « Mon fils » par-là, qu'il éparpillait alentour à tel point qu'on eût cru que des milliers d'oiseaux picoraient ses chaussettes. Et même quand d'autres lettres d'éditeurs arrivèrent, il ne s'en préoccupa pas plus que de ses premiers cheveux.

Madame,
Nous avons été sensibles au fait que vous nous ayez soumis votre manuscrit.
Malheureusement notre programme surchargé ne nous permet pas...

Pléthore en fut aussi ému que d'une feuille qu'emportent les vents. Noël passa et trouva Edgar presque capable de se tenir debout sur ses fesses. Il se métamorphosait. De rosé, son

visage devenait couleur miel. Ses cheveux frisés
se cactusaient. Ses lèvres se pulpaient en framboisier et, comme Flora-Flore semblait s'en
désintéresser, je crus qu'il était temps de
convier les dieux à sa naissance.

Je descendis les escaliers quatre à quatre,
pensant aux méchouis à cuire, aux alokos à
frire, au vin de palme à acheter. « Tu mérites
le meilleur, mon fils ! » me dis-je en évaluant
le nombre de mes invités. Je passai devant
l'appartement de Flora-Flore et vis deux hommes aux visages de vautour, vêtus de costumes
noirs, qui se parlaient à voix basse. Ils
m'inquiétèrent tant que je revins sur mes pas
et les agressai :

– Que faites-vous là ?

– Nous sommes venus prendre les mesures
d'un cercueil, madame.

Du sang sauta à ma cervelle et mon cœur
fit un tour :

– Qui est mort ?

– Personne, mais ça ne saurait tarder.

Jean-Pierre Pierre ou pas, je traversai la
pièce. Je draguais un grand danger mais m'en
fichais. Lorsque je pénétrai dans la chambre et

que je vis Flora-Flore, tous les mots enracinés dans ma langue disparurent.

Flora-Flore était étendue sur le triste lit à baldaquin et ses cheveux noirs s'étendaient comme de frêles branches desséchées sur les draps obscurs. Un minuscule rayon de soleil jouait à sauve-qui-peut sur son visage amaigri. Elle respirait avec difficulté.

– Dieu du paradis ! criai-je.

– Chut ! me fit un homme, au pied du lit.

Et je compris qu'il était docteur.

Il m'entraîna dans le salon : « Ce n'est plus qu'une question d'heures ou de jours, madame. La jeune femme va mourir. » Il m'expliqua que Flora-Flore avait une maladie incurable dans les poumons, que ceux-ci s'étaient rétrécis jusqu'à ressembler à ceux d'un moineau.

– On peut la sauver, docteur ! m'insurgeai-je.

– Seul le bon Dieu peut encore quelque chose, madame.

Je sortis en courant dans les escaliers et chassai les deux messieurs : « Éloignez-vous, charognards ! Elle n'est pas morte ! » Je bousculai les gens dans les rues tant mon esprit était dérangé.

Chez le fleuriste j'achetai quantité de fleurs : des rouges ouvertes comme le sexe d'une femme ; des roses avec des veines bleues ; des jaunes en forme de trèfles, sans compter des blanches en corolles. Je n'oubliai pas les raisins et les mandarines. J'avais lu quelque part que ces choses donnaient envie de vivre aux malades. Je mis les fleurs dans un magnifique vase chinois, les posai au chevet de Flora-Flore et m'assis.

— C'est superbe, dit Flora-Flore en ouvrant les yeux. C'est Jean-Pierre Pierre qui me les a offertes ?

— C'est moi, dis-je.

Je vis à ses yeux qu'elle était déçue. Elle referma ses paupières et s'endormit. Quand elle se réveilla, j'étais toujours là, à mémoriser ses traits, quelque chose que je garderais au fond de mon esprit jusqu'à ce qu'il se disloque. Au même moment, j'entendis les cris d'Edgar et la voix rauque de Pléthore qui lui chantait une berceuse. Flora-Flore sourit :

— Voilà des semaines que je l'écoute d'en bas lorsque tu lui donnes son bain ou qu'il refuse de s'endormir. Quel garnement !

– Je le baptiserai Flore des Océans, dis-je.

Deux larmes coulèrent le long de ses tempes. Elles me confirmèrent qu'Océan était le géniteur d'Edgar, mais ce n'était pas mon histoire.

– Je ne voulais pas qu'il termine à la DDASS, tu comprends ? Il sera heureux avec vous.

– Pense à guérir ! lui ordonnai-je.

Je réunissais déjà des arguments contre la mort. Il fallait qu'elle vive encore assez de temps pour voir son fils grandir. C'était aussi sensé que cela aurait dû l'être. Mais c'était ambitieux, trop ambitieux. Quelqu'un m'attrapa violemment les épaules et me jeta contre le mur. Ma tête heurta la paroi et je crus que je ne survivrais pas à Flora-Flore.

– Vous ne pouvez pas nous laisser tranquilles, même dans ces moments-là ? gronda Jean-Pierre Pierre, fou de rage.

– Je voulais juste rendre service, dis-je, craintive.

Il me saisit le bras et me conduisit à la porte : « Je ne veux plus vous voir traîner dans les parages, d'accord ? » Je me libérai d'un geste et me massai en grimaçant : « Que la volonté de

239

Dieu soit faite ! » Au même moment, deux messieurs surgirent et rien qu'à leurs visages durs, à leurs cheveux courts et blonds, j'eus envie de battre en retraite.

— Monsieur Jean-Pierre Pierre ? demanda l'un d'eux en sortant une plaque de sa poche.

— Ouais, répondit Jean-Pierre Pierre, les défiant presque.

— Police ! crièrent-ils. Nous vous arrêtons pour le meurtre de Mlle Denise Soissons.

— Mais je n'ai rien fait, moi ! dit-il en avalant péniblement sa salive. Vous pouvez demander à ma compagne.

Déjà il se précipitait dans la chambre et se penchait vers Flora-Flore : « Dis-leur, toi, que je ne connais pas de Mlle Denise Soissons ! » Mais Flora-Flore ne répondit rien et regarda le mur. Je vis de la neige tomber à même la peau de Jean-Pierre Pierre, tant il était surpris : cette femme qui l'avait aimé, celle qu'il avait soumise, maltraitée — cette femme qu'il avait rabaissée à tel point qu'elle eût pu manger ses défécations s'il l'avait exigé, lui opposait de la résistance au moment où il avait besoin d'elle et sacrément besoin. Il y avait là de quoi douter de sa propre vie.

— Bon Dieu de merde ! cria Jean-Pierre Pierre. C'est un cadavre qu'on a trouvé sur le palier de cette femme, dit-il en me désignant.

— Il est fou ! hurlai-je.

— Tout le monde peut vous le confirmer, insista-t-il, confiant dans le fait qu'il pouvait nous entraîner tous dans le gouffre pour meurtre et dissimulation collective.

Les voisins s'amenèrent et nos voix s'élevèrent en symbiose : « Il est fou ! » Ils haussèrent leurs épaules en cadence : « Nous sommes tranquilles, nous ! » Et encore : « On n'a jamais vu de cadavre par ici, nous ! » Pégase, le disséqueur de cadavres, frottait ses mains remplies de convoitise : « Un cadavre ici même ! Et moi, Pégase, je ne l'aurais pas autopsié ? Impossible ! » Le prédicateur Félix Éboué ne cessait de dire : « Pardonnez-lui, Seigneur, il ne sait pas ce qu'il dit ! »

Les flics nous regardèrent. On voyait qu'ils avaient envie d'échapper à ces délires de fous qui jaillissaient de nos lèvres.

— De toute façon, dirent-ils à Jean-Pierre

241

Pierre, votre compagne nous a donné de telles précisions qu'il n'y a pas de doute quant à votre culpabilité. On a retrouvé le cadavre que vous avez enterré au bois de Vincennes, comme le précisait la lettre de Flora-Flore.

Ils firent ce qu'ils avaient à faire : ils écartèrent les jambes de Jean-Pierre Pierre et le fouillèrent. Ils menottèrent ses bras dans son dos. Ils descendirent trois marches et la voix de Flora-Flore traversa l'espace et heurta nos oreilles :

— C'est pour te protéger de toi-même, mon amour ! Tu seras mieux derrière les barreaux qu'à traînailler dans les rues.

— Salope ! cria Jean-Pierre Pierre. Double salope ! Je te ferai la peau !

— Je t'aime, mon amour.

Les grondements qui résonnaient alentour ne m'empêchèrent pas d'entendre la caresse sincère qu'il y avait dans ces mots, et je m'interrogeai : si Pléthore s'était comporté comme Jean-Pierre Pierre, l'aurais-je couvert jusqu'au bout ? J'étais trop lente d'esprit et je ne répondis pas à cette question. Les nègres s'agglutinèrent et commentèrent l'événement. Les femmes se félicitèrent de leur patience à supporter les lourds fardeaux de la vie. Elles affirmèrent que cette tolérance n'était pas une faiblesse mais une force, et Flora-Flore un formidable exemple. Parce que vous comprenez, il convient de temps à autre, et seulement de temps à autre, de rappeler aux hommes jusqu'où aller et quand s'arrêter. Quant à ces derniers, il leur parut évident qu'en frappant même un chien – à supposer qu'on batte son chien à ce point-là – comme Jean-Pierre Pierre l'avait fait à Flora-Flore, après on ne peut plus lui faire confiance. Un beau jour, alors que vous vous baissez pour le caresser, il sort ses crocs et vous tranche la gorge.

Et c'était une bonne conclusion.

Trois jours passèrent pendant lesquels les nègres de Belleville se relayèrent auprès de Flora-Flore. Ils lui apportèrent des jolies fleurs et même des beaux rubans pour combattre la mort. Des griots jouaient des rythmes gais et contaient des jolies histoires pour la distraire. On gagna peut-être trois jours, peut-être quatre.

Au bout du compte, il fallut bien que les

243

Messieurs des pompes funèbres que j'avais violemment chassés reviennent. Il fallut bien accompagner Flora-Flore au cimetière avec des fleurs fraîches et des fleurs éternelles dans des bocaux, qui veilleraient définitivement sur elle. « A condition que des voyous ne passent pas par là et les saccagent », dit Pléthore. Il fallut bien organiser une fête des morts, danser, chanter et boire jusqu'à plus soif. Il fallut bien se séparer et raconter l'histoire d'une fille qui vivait là avec un meurtrier qui la battait jusqu'à plus souffle.

Et comme ce n'était pas une histoire à raconter aux mômes, on la modifia :

Il était une fois deux femmes qui s'aimaient tant qu'elles finirent par confondre leur maternité.

Et c'était bien ainsi...

Ensuite tous l'oublièrent, volontairement ou pas, expressément ou pas, mais l'oublièrent, parce qu'à proprement parler ce n'était pas leur histoire, parce qu'il leur fallait regarder devant eux et voir les pieds de vigne du printemps prochain. « Il est vraiment beau, ton fils ! » me dirent-ils en caressant la tête de Flore des

Océans. Et aussi : « Toi et Pléthore vous êtes vraiment exceptionnels. On ne connaît pas de ces couples mixtes qui tiennent la route aussi longtemps ! »

Pour moi qui avais connu Flora-Flore, pour moi qui l'avais aimée, pour moi à qui elle avait confié son fils, ce fut une histoire difficile à effacer, à modifier et à oublier dans les placards. Des années passèrent et je butais encore sur sa façon de s'asseoir, sur sa manière de poser une main sur ses joues ou même simplement sur les intonations de sa voix.

Aujourd'hui, alors que mon corps se désintéresse du plaisir et même de la douleur, que ce monde vire dans des tons illisibles pour mes vieux os, j'en pleure encore. Quelquefois, Flore des Océans surprend mes larmes et me demande : « Qu'est-ce que t'as, maman ? Quelqu'un t'a fait un gros chagrin ? » Je le prends dans mes bras et l'air devient doux, parfumé des senteurs qu'adorent les abeilles. « Non, mon fils. C'est la vie qui me fait mal ! »

C'est ainsi et c'est bien ainsi.

La composition de cet ouvrage
a été réalisée par
I.G.S. - Charente Photogravure à l'Isle-d'Espagnac,
l'impression a été effectuée
sur presse Cameron dans les ateliers de
Bussière Camedan Imprimeries
à Saint-Amand-Montrond (Cher),

Achevé d'imprimer en mars 1999.
N° d'édition : 18103. N° d'impression : 991203/4.
Dépôt légal : avril 1999.